Le plus grand mystère du monde

Données de catalogage avant publication (Canada)

Mandino, Og

Le plus grand mystère du monde

Traduction de: The greatest mystery in the world.

ISBN 2-89225-323-3

1. Succès. 2. Morale pratique. I. Titre.

BJ1611.2.M32614 1997 170'.44 C97-940821-0

Cet ouvrage a été publié en langue anglaise sous le titre original:
THE GREATEST MYSTERY IN THE WORLD
A Fawcett Columbine Book
Published by Ballantine Books and simultaneously in Canada by
Random House of Canada Limited, Toronto

Dépôts légaux: 4e trimestre 1997
Bibliothèque nationale du Québec
Bibliothèque nationale du Canada
Bibliothèque nationale de France

Version française:
JEAN-PIERRE MANSEAU

Conception graphique de la couverture:
SERGE HUDON

Photocomposition et mise en pages:
COMPOSITION MONIKA, QUÉBEC

ISBN 2-89225-323-3

(Édition originale: ISBN 0-449-91261-2, Ballantine Books, New York)

Og Mandino

Le plus grand mystère du monde

...incluant un précieux héritage transmis à chacun de nous par le vieux chiffonnier, Simon Potter.

Les éditions Un monde différent ltée
3925, boulevard Grande-Allée
Saint-Hubert (Québec)
Canada J4T 2V8

Pour mon petit-fils,
BENNETT LEWIS MANDINO,

Avec amour

« En regard de ce que nous devrions être, nous ne sommes qu'à demi éveillés. Nos ardeurs sont refroidies, nos projets tenus en échec, et nous n'utilisons qu'une infime partie de nos ressources mentales et physiques. »

William James

Chapitre I

Souvenirs, souvenirs! J'entends encore sa voix douce et profonde dire ces mots comme s'ils avaient été prononcés ce matin même plutôt qu'il y a très très longtemps.

«Il est très difficile de concevoir comment notre terre fut créée, et comment se fait-il qu'elle soit suspendue dans l'espace; ou comment notre intelligence et notre corps parviennent à accomplir sans cesse leurs miraculeuses tâches quotidiennes? Mais le plus grand mystère que l'humanité doit encore résoudre, c'est que malgré tous les outils que Dieu nous a fournis – à la fois sur le plan physique et mental – une grande partie de l'humanité continue d'avancer en trébuchant sur les chemins rocailleux de l'échec et de la tristesse, de la pauvreté et du désespoir.»

Plus de vingt ans ont passé depuis que j'ai entendu pour la première fois cette sage déclaration, et je suis persuadé que cette citation, malgré sa longueur, vous est rapportée mot pour mot. Ces paroles furent prononcées par un vieux sage, Simon Potter, que j'avais rencontré la première fois, un matin de neige, dans le parc de stationnement derrière l'immeuble qui abritait la revue *Success Unlimited* que je dirigeais, à Chicago Nord. Il était en train de nourrir des pigeons à même un grand sac brun en papier au moment où j'arrivai dans le parc de stationnement, et notre première brève salutation, ce matin-là, fut le commencement d'une relation qui eut des conséquences sur ma vie entière.

Après cette première rencontre, au milieu des années 70, Simon et moi sommes devenus bientôt des amis intimes. À plusieurs reprises, après une longue journée pleine de contraintes et de pressions à essayer de diriger une publication à l'échelle nationale, avec tous les défis que cela comporte, je m'avançais avec lassitude à travers le lugubre parc de stationnement, j'entrais dans le vieil immeuble en pierre de l'autre côté de la rue, je montais l'escalier jusqu'à son appartement du second étage, le numéro 21, et je rendais visite au vieil homme avant de faire le long trajet jusqu'à ma maison de banlieue. Ses sages conseils et ses suggestions, toujours servis avec un verre de sherry blanc, m'aidèrent souvent à me détendre et à voir mes problèmes de façon plus rationnelle; et je suis persuadé que ses bonnes pensées et sa sagesse ont rejailli sur mon travail et sur ma manière d'essayer de transiger avec notre monde, depuis ces jours mémorables, il y a déjà si longtemps.

Le petit appartement de trois pièces de Simon, propre et exempt de poussière, comportait une remarquable caractéristique. Des livres! Des livres partout, non seulement dans plusieurs immenses bibliothèques mais également empilés en colonnes, d'une manière ordonnée, contre tous les murs disponibles. Le vieux monsieur m'expliqua fièrement qu'ils constituaient sa collection de toute une vie, de livres «de la main de Dieu» et, en réponse à mon expression plutôt perplexe, il me dit qu'il croyait sincèrement que certains livres étaient écrits de la main de Dieu – posée doucement sur celle de l'auteur – afin que les mots inscrits sur le papier ou sur le parchemin nous soient présentés sans détour, renfermant les principes, les lignes directrices, et les sages conseils de Dieu sur la façon de mener une vie meilleure.

Je mesure 1,83 mètre mais Simon me dépassait au moins d'une tête et, malgré ses 78 ans, il continuait de travailler à son compte comme chiffonnier. Il m'expliqua qu'il passait la majeure partie de ses jours et de ses nuits en quête de gens qui avaient échoué leurs vies et qui se retrouvaient pieds et poings liés au plus profond de la misère et du désespoir de l'humanité. Chaque fois qu'il découvrait de telles âmes perdues – et il y en avait partout – il me confia qu'il utilisait ses livres «de la main de Dieu» pour leur enseigner comment retrouver l'espoir et leur amour-propre.

Quand Simon apprit que j'étais non seulement éditeur mais que j'avais eu la bonne fortune de publier plusieurs livres incluant un livre à succès, *Le plus grand vendeur du monde**, il me dit qu'il avait travaillé depuis des années à l'écriture d'un livre contenant des règles de vie concises et puissantes, nécessaires à la réussite personnelle. Il admit qu'il avait utilisé plu-

* Produit aux éditions Un monde différent sous format de cassette audio.

sieurs de ses livres «de la main de Dieu» comme ouvrages de référence et qu'il avait l'intention d'intituler son livre: *Le Mémorandum de Dieu*. Au cours de plusieurs de mes visites, il fit souvent allusion au fait que je pourrais peut-être envisager d'utiliser son mémorandum dans un de mes prochains livres afin qu'il soit lu par un bien plus grand nombre de personnes que lui-même ne pouvait atteindre.

À mesure que notre amitié grandissait au cours de l'été et l'automne de 1974, Simon commença à m'appeler «Monsieur Og». Au cours de longues discussions, pendant lesquelles j'écoutai bien plus que je ne parlai, nous traitâmes d'un grand choix de sujets, allant des bienfaits des bons manuels «aide-toi toi-même» à l'état pitoyable de notre monde. Ce fut, et de loin, la plus mémorable période de ma vie, et pourtant, pour des raisons que je ne comprends pas encore, je ne fis jamais mention de mon amitié avec Simon à qui que ce soit au bureau et je ne révélai rien à mon épouse, Bette, concernant ce géant qui m'enseignait peu à peu à mener une vie plus profondément satisfaisante.

Puis, un lundi matin que je n'oublierai jamais, mon monde se transforma soudain. J'avais été absent du magazine pendant plusieurs semaines pour la promotion de mon livre *Le plus grand vendeur du monde* à travers tout le pays, et j'arrivai très tôt à mon bureau dans le but de m'attaquer à l'accumulation de travail en retard.

Il y avait une grande enveloppe brune sur mon bureau, adressée à mon nom, dont les timbres-poste n'avaient pas été oblitérés. En lisant les mots «de la part d'un vieux chiffonnier» inscrits dans le coin supérieur gauche, je laissai immédiatement tomber l'enveloppe et je me précipitai hors du bureau. Quand j'atteignis le parc de stationnement, je me faufilai entre les voitures, je traversai la rue, et j'entrai dans le vieil immeuble de Simon. Je montai précipitamment l'escalier, je franchis en courant le couloir menant à son appartement, et je me mis à tambouriner contre sa porte. Finalement, une femme grassouillette vêtue d'une robe défraîchie vint ouvrir la porte avec un petit enfant dans les bras. Quand je demandai à parler à Simon Potter, elle fit le geste de fermer la porte. Elle me dit qu'elle ne connaissait aucun Simon Potter et qu'au cours des quatre années qu'elle avait vécu dans l'immeuble, elle n'avait jamais aperçu l'homme que j'évoquais.

Je ne savais que dire ou penser. À la fin, elle me claqua la porte au nez et je redescendis lentement l'escalier. Dans l'entrée, je me tournai en direction d'un escalier menant au sous-sol et, par chance, j'aperçus le concierge de l'immeuble, assis près de la chaufferie, en train de lire un journal. Il me dit qu'il avait vécu là pendant onze ans et qu'il n'avait jamais vu quelqu'un correspondant à la description de Simon.

Éprouvant une forte douleur à la poitrine, je revins à mon bureau et je fermai la porte. J'ouvris lentement la grande enveloppe brune et je lus le message que Simon m'avait fait parvenir. «Sous ce pli», écrivait-il, «vous trouverez *Le Mémorandum de Dieu*». Il demandait que je mette en pratique ce mémorandum dans ma propre vie pendant cent jours, et si cela marchait pour moi, je pourrais peut-être alors envisager de le partager avec le reste du monde dans un de mes livres.

Par ailleurs, il ne fallait pas que je m'inquiète à propos de lui. Il se lançait dans une mission spéciale et, comme nous n'allions pas nous revoir de sitôt, il voulait que je sache qu'il m'aimait et qu'il prierait pour moi. Je restai là à fixer mes mains pendant très longtemps après avoir lu sa lettre. Puis, je saisis *Le Mémorandum de Dieu* et je le lus lentement. J'y trouvai tout ce que j'attendais et davantage encore, et, tels les mots que Simon m'exprimait, le mémorandum devint une carte grâce à laquelle j'essayai de faire naviguer ma vie jusqu'à ce jour.

Ce n'est que plusieurs mois après la mystérieuse disparition de Simon que je racontai enfin tout cela à Bette, un soir, tandis que nous nous préparions à nous coucher. Elle s'est assise près de moi, sur mon côté de lit, et elle écouta avec une vive attention pendant plus d'une heure, sans m'interrompre, tandis que je lui racontais tout ce dont je parvenais à me souvenir concernant mes expériences avec le vieux chiffonnier.

Finalement, elle empoigna ma main fermement et elle demanda: «Dans ta quête pour le retrouver, est-ce que quelqu'un... une seule personne... a admis avoir déjà vu cet homme? Quelqu'un à ton bureau? quelqu'un dans le voisinage?»

Je fis non de la tête. «Personne. C'est comme s'il n'avait jamais existé, sauf pour moi.»

Bette m'embrassa la joue, se leva, passa près de moi, et alla chercher un vieux dictionnaire dans la bibliothèque adossée au mur. Elle feuilleta plusieurs pages, fit une pause, me regarda et se mit à lire: «Un ange... un être spirituel supérieur à l'homme en puissance et en intelligence... un serviteur et un messager de Dieu... tout représentant de Dieu à titre de prophète ou de pédagogue.»

Elle remit le livre à sa place, marcha lentement jusqu'à son côté de lit et dit doucement: «Bonne nuit, chéri.»

Dans mon livre suivant, *Le plus grand miracle du monde**, je racontai entièrement l'histoire de Simon Potter et, bien sûr, je partageai *Le Mémorandum de Dieu*** avec mes lecteurs. Je suis tellement fier que ce livre soit en vente dans les librairies depuis plus de vingt ans déjà et qu'il soit utilisé, à travers le monde, pour des centaines de programmes de réhabilitation concernant l'alcool et les drogues, et ses ventes totalisent près de cinq millions d'exemplaires en quinze langues! Simon, semble-t-il, continue encore de secourir des êtres humains dans leurs vies de chagrins et d'échecs grâce à ses mots, et je suis fier d'avoir été son messager, à ma modeste façon.

---

* Publié aux éditions Un monde différent sous format de livre.

** Publié aux éditions Un monde différent sous format de livre et de cassette audio.

Chapitre II

La vie n'était plus la même sans Simon. Au cours des jours et des semaines qui suivirent sa disparition, je cessai de sourire à ce monde, et les chaleureuses conversations du passé, tout particulièrement avec mon personnel, se résumèrent tout au plus à des phrases laconiques. Ce changement soudain dans mon comportement, bien sûr, était constaté par tous. Même mon cher poste de président de *Success Unlimited*, pour lequel j'avais travaillé si fort, ne m'enthousiasmait plus.

Par conséquent, je me mis à passer beaucoup plus de temps dans mon bureau, la porte fermée, faisant souvent de longues siestes sur un divan en cuir, tandis que les autres que j'avais formés accomplissaient la majeure partie du travail de montage de chacun des numéros mensuels. Et, chaque matin, après m'être garé dans notre parc de stationnement, je me surprenais à chercher Simon du coin de l'œil entre les voitures tandis que la vue de son vieil immeuble, en face du parking, réveillait en moi toutes sortes de souvenirs et de la tristesse.

Ma vie en retrait du magazine avait également pris une tournure imprévue. Étant donné qu'on me demandait de plus en plus souvent de prononcer mon discours sur la réussite et le bonheur lors de congrès et de réunions de gens d'affaires, parce que mon livre *Le plus grand vendeur du monde* se vendait tellement bien, je signai finalement un contrat exclusif avec une dame très talentueuse, Cheryl Miller. Son agence, Speakers International, était située dans la banlieue de Chicago et Cheryl me trouva alors des engagements à un tel rythme, et à des cachets de plus en plus élevés, qu'il ne me semblait pas équitable, à l'égard du magazine, d'être absent du bureau aussi souvent que je l'étais. Je signai également mon premier contrat de trois livres avec Bantam Books: un nouveau manuscrit de livre devait être remis tous les 15 mois, avec une avance très élevée pour chacun de ces livres. Durant cette période terrible où je me sentais si déprimé et abattu car Simon avait disparu de ma vie, il me sembla plutôt étrange que mes deux carrières en marge du magazine furent plus florissantes que jamais.

Finalement, après plusieurs longues discussions avec Bette, je décidai de démissionner de mon poste de président de *Success Illimited*. W. Clement Stone, propriétaire de la revue, avait besoin de quelqu'un capable de fournir tous les efforts et l'attention nécessaires afin de produire la meilleure publication possible chaque mois, et je n'étais plus en mesure de le faire. J'aimais beaucoup cet homme et il méritait mieux. Je fis parvenir à monsieur Stone une lettre de démission au cours de l'été 76, j'enlevai des murs de mon bureau toutes les photos autographiées par des célébrités et mes certificats de récompenses; je les emballai avec soin dans des boîtes et je quittai le magazine deux semaines après avoir envoyé cette lettre, à la suite d'une soirée d'adieu chaleureuse et émouvante en compagnie de mon personnel. Je conserve encore le minuscule téléviseur en noir et blanc qu'on m'offrit comme cadeau d'adieu. Il me fut difficile, ce soir-là, de bien voir à travers mes larmes quand je sortis du vieux parc de stationnement pour la dernière fois. Simon Potter, où êtes-vous allé?

Pour célébrer ma libération de la vie d'entreprise, nous installâmes nos deux fils et quelques vêtements dans la voiture, et nous filâmes vers Scottsdale, en Arizona, pour des vacances dont nous avions grand besoin. La région était aussi belle que dans nos souvenirs d'un voyage précédent. Avant même la fin de notre première semaine, Bette et moi jetions un coup d'œil aux nouvelles maisons. Nous en découvrîmes une très spéciale, dont la charpente n'était qu'à moitié construite, sur un lot d'un demi-hectare faisant l'angle de la rue. Un agent immobilier très obligeant, Marby Pruitt, qui est demeuré un de nos bons amis après toutes ces années, réexamina les plans avec nous. Après avoir rencontré l'entrepreneur, qui consentit à faire les changements que nous voulions, nous achetâmes la maison, puis nous retournâmes dans l'Illinois, nous mîmes notre maison en vente, et nous la vendîmes en moins d'une semaine!

Au début d'octobre, nous déménageâmes à Scottsdale et je commençai peu à peu à me familiariser avec de nouvelles occupations journalières. À présent, je n'étais plus obligé de m'habiller en complet veston, à prendre ensuite le petit-déjeuner, et à conduire pendant plus de 30 kilomètres dans la circulation intense pour me rendre à mon bureau. Je pouvais maintenant enfiler un vieux tee-shirt et un short, prendre le petit-déjeuner dans la cuisine s'ouvrant sur notre piscine, puis, j'entrais dans la pièce attenante, mon atelier d'écriture, et je me mettais au travail. Il me fallut plusieurs mois avant de me guérir moi-même de toujours planifier ma journée à *Success Unlimited* tandis que je me rasais et prenais ma douche. Nous jouissions maintenant d'une nouvelle vie et je m'y adaptai finalement. Je commençai même à jouer au golf plusieurs fois par semaine, et Bette fit bientôt l'acquisition de deux importants magasins de tissus à Phœnix et Scottsdale. Toute une nouvelle vie!

Les douze années qui suivirent notre déménagement en Arizona furent à la fois productives et gratifiantes. J'écrivis huit livres qui se sont tellement bien vendus qu'ils sont encore aujourd'hui offerts dans les librairies, et plusieurs parmi eux, plus particulièrement *Le Choix*, *Mission: Succès!* et *Une meilleure façon de vivre* ont suscité chaque semaine beaucoup plus de lettres d'admirateurs que je n'en mérite.

Le nombre de mes engagements pour des conférences continua d'augmenter et, après quelque temps, mon cachet se situa dans les cinq chiffres, ce que je trouvai très difficile à vraiment réaliser. Je me souviens encore très bien d'un matin où j'ai pris le petit-déjeuner avec mon aîné, Dana, venu nous rendre visite en provenance de Flagstaff. Il savait bien sûr que, tout en écrivant, son père survolait le pays de temps à autre pour donner des conférences, mais il n'avait aucune idée de ce que je recevais au chapitre de la rémunération pour de tels engagements. Sa bouche était pleine de céréales quand je lui répliquai: «Douze mille dollars.» Il me regarda fixement en écarquillant les yeux d'incrédulité, les céréales faisant d'étranges gargouillements dans sa gorge. «Cependant», continuai-je, «tu ne dois pas oublier que c'est pour une heure entière.» C'est alors que mon fils d'une grande intelligence ramena ce que j'avais dit à des termes qui avaient une plus grande résonance en lui. Il dit doucement: «Mon Dieu, papa, cela veut dire deux cents dollars la minute! Le temps d'éternuer ou de te moucher et tu empoches cent dollars!» Je crois que Dana respecte un peu plus son père depuis ce matin-là.

Simon aurait été fier de moi. En 1983, je reçus le prix C.P.A.E. de l'association des conférenciers nationaux, le plus grand honneur accordé par cette excellente organisation et, un soir mémorable à Chicago, on m'a attribué la médaille d'or Napoleon Hill de 1983 pour mes nombreux succès littéraires. Au cours de l'année suivante, je devins le quatorzième membre du Temple de la Renommée des conférenciers internationaux, rejoignant ainsi des individus tellement talentueux et compétents tels Norman Vincent Peale, Rich DeVos, Art Linkletter et Bob Richards. Je ne me gonflais par d'orgueil car cela aurait souverainement déplu à Bette.

Au cours de ces années passées en Arizona, j'ai également fait une tournée à travers le pays chaque fois qu'un de mes livres était publié, promotionnant la nouvelle publication à la radio, à la télévision et dans la presse. J'estime que je fus interviewé environ 1200 fois, et la plupart de ces entrevues furent très agréables, y compris mes six minutes de «célébrité» à l'émission *Today*.

Trois de mes livres datant de cette période ont souvent été considérés comme étant des films potentiels: *Le Présent d'Acabar*, *La Commission Christ*, et *Le Choix*. Michael Landon, avant sa mort prématurée, démontrait un vif intérêt à réaliser un film sur *La Commission Christ*, et les deux autres livres sont toujours à l'étude chez divers groupes intéressés par ce projet.

Malgré toutes mes activités je pensais souvent à Simon, surtout après une grande réalisation comme de tenir le premier exemplaire d'un nouveau livre dans mes mains, ou en recevant une longue ovation après avoir fait un discours. À vrai dire, le chagrin occasionné par son départ de ma vie s'était apaisé avec les années jusqu'au jour où UPS livra chez nous un grand colis. Avant même d'avoir fini de déballer le colis, une enveloppe tomba par terre. Je la ramassai et l'ouvris. La lettre provenait d'un prisonnier qui m'écrivait pour me dire à quel point *Le plus grand miracle du monde* avait transformé sa conception de la vie et son espoir face à l'avenir. Il me disait qu'il était artiste et que pour me remercier, il me faisait parvenir une peinture à l'huile représentant Simon tel qu'il l'imaginait.

Je retins ma respiration tandis que j'enlevai avec soin la mince pièce de tissu recouvrant la toile, puis, je me retrouvai en train de regarder fixement un portrait presque parfait de Simon, un verre de vin à la main! Je ne sais pas pendant combien de temps je fixai la toile du regard, avec les larmes aux yeux, avant de me lever et de la placer en haut d'une de mes bibliothèques, près de mon bureau.

Plus tard ce jour-là, après avoir dominé de nouveau mes émotions, j'écrivis au prisonnier afin de le remercier pour sa merveilleuse œuvre et pour lui demander comment il s'y était pris pour que le portrait de Simon soit si ressemblant, étant donné que je n'avais pas décrit tous les traits physiques du vieil homme dans le livre. La réponse que je reçus fut brève et simple. Avant même de commencer à peindre le portrait, il s'était endormi, un soir, après avoir relu *Le Mémorandum de Dieu* dans le livre. Pendant son sommeil, il fit un rêve très bref, un rêve dans lequel Simon lui apparaissait et lui disait: «Tout ira bien pour toi, tout ira bien, tout ira bien.» Le visage qu'il avait peint représentait l'image qu'il avait vue dans son rêve.

Chapitre III

Je suis convaincu, et je l'ai répété lors de nombreuses interviews, que Dieu joue continuellement aux échecs avec chacun de nous. Il joue certains «coups» dans notre vie, puis, se croise les bras et regarde comment nous réagissons aux défis.

Pendant l'été de 1988, Dieu a joué un grand «coup» dans notre vie sans que nous en prenions vraiment conscience à l'époque. Étant donné que j'avais un engagement comme conférencier à la salle Hynes de Boston, Bette et moi décidâmes d'emmener sa mère et son père avec nous, et qu'une fois arrivés à Boston, nous les conduirions dans ce petit village du sud du New Hampshire où ils avaient passé la plus grande partie de leurs vies, avant de déménager à proximité de chez nous, à Scottsdale, pour être plus près de leur seule fille. Nous devions les laisser chez l'oncle de Bette et leur donner également des billets d'avion qu'ils pourraient utiliser quelques semaines plus tard pour retourner en Arizona. Vu qu'aucun d'eux ne jouissait d'une bonne santé, nous pensâmes qu'ils apprécieraient vraiment revoir leur vieux coin préféré pour un autre retour aux sources.

Le voyage en direction de l'est fut sans histoire. Nous louâmes un Town Car*, à l'aéroport Logan de Boston, et nous filâmes vers le nord, passant cette nuit-là au Ramada Inn de Concord, avant de conduire le matin suivant, grand-mère et grand-père chez Bill, l'oncle de Bette, dans le petit village de leur enfance que j'appellerai fictivement, Langville, dans ce livre.

Comme nous disposions encore d'une autre journée avant ma conférence à Boston, Bette et moi partîmes faire une visite sentimentale de sa vieille ville natale et de la campagne environnante, repensant au passé et photographiant les endroits dont nous conservions des souvenirs depuis presque quatre décennies, depuis cette époque où je courtisais ma jolie dame. Quels souvenirs extraordinaires! Une seule note triste au tableau: tous les ormes géants ayant transformé le centre de la minuscule ville en un merveilleux jardin de verdure n'étaient plus là, victimes de la thyllose parasitaire, la maladie des ormes.

Tandis que nous roulions lentement dans une région clairsemée de bouleaux et de pins aux abords de la ville, nous dépassâmes un étroit chemin de terre battue sur notre gauche. Bette ralentit et m'indiqua un large panneau en face de nous, à l'entrée de la route, sur lequel on pouvait lire «À Vendre». «Tu sais, chéri», dit-elle, «pendant toutes ces années où j'ai vécu ici quand j'étais jeune, je ne crois pas avoir em-

---

* Automobile à quatre portes, avec séparation de verre coulissante entre le siège du chauffeur et le siège arrière. (N.D.T.)

prunté cette route une seule fois. Je me demande ce qui peut bien être à vendre là-bas?

Elle recula le Town Car suffisamment pour pouvoir tourner lentement à gauche et s'engager sur le vieux chemin, lequel était tellement étroit que des érables se rejoignaient de chaque côté et formaient une arche au-dessus de nos têtes. Environ 400 mètres plus loin, nous montâmes une faible pente et, à notre droite se trouvait une vieille maison de ferme solitaire, peinte en blanc, avec un panneau « À Vendre » planté devant. Nous nous rangeâmes dans l'entrée et, comme il n'y avait personne dans les parages, nous nous dirigeâmes ensuite effrontément vers les fenêtres afin de jeter un coup d'œil à l'intérieur. Quel spectacle fascinant! De vieilles poutres dégrossies au plafond et un plancher de larges planches cirées. Il semblait on ne peut plus évident que cet endroit solitaire avait été l'objet de nombreux et tendres soins.

Nous étions encore en train de regarder à l'intérieur quand une autre auto s'engagea dans l'entrée. Un homme souriant traversa la pelouse en quelques enjambées et se présenta. Il dit qu'il habitait un peu plus loin sur la route et qu'il était l'agent immobilier s'occupant de cette formidable maison mise en vente seulement depuis la veille. Il hocha la tête en disant qu'il avait pensé, étant donné l'emplacement isolé de la maison, qu'il faudrait plusieurs semaines, voire même des mois avant qu'il ait la chance de faire visiter la maison à des clients éventuels.

Aimerions-nous entrer et jeter un coup d'œil? Pas vraiment, avons-nous répondu, nous faisions simplement un peu de tourisme et nous possédions déjà une jolie maison à Scottsdale. J'ajoutai également que, s'il était arrivé cinq minutes plus tard, nous n'aurions plus été là. Il répliqua que tout cela avait peut-être sa raison d'être... et qu'il était destiné à nous rejoindre ici avant notre départ. Je jetai un regard vers Bette qui poussa un soupir, et je lui demandai d'ouvrir la porte d'en avant. Nous aimâmes cette maison, chacune des pièces. Il y avait beaucoup de travaux de rénovation à faire mais qu'importe! Nous pouvions la transformer selon nos goûts. Cinq heures plus tard, nous répondîmes au «coup» joué par Dieu. Nous versâmes un acompte sur la maison!

Au début, nous pensions que cette merveilleuse vieille ferme, cachée dans les bois, ferait une magnifique maison d'été. Mais un jour, après être revenus chez nous, alors que nous roulions vers Phœnix pour faire des courses, nous vîmes un énorme nuage noir de pollution suspendu au-dessus de la ville. C'était là l'incitation dont nous avions besoin. Nous décidâmes de vendre notre maison de l'Arizona et de revenir habiter dans l'est. L'agent immobilier qui nous avait vendu la vieille maison de ferme disposait également d'un groupe très talentueux de menuisiers, de plombiers et d'électriciens travaillant pour lui. Nous retournâmes donc au New Hampshire, nous eûmes plusieurs rencontres avec lui et nous donnâmes finalement le feu vert pour les plans de transformation. De plus, nous approuvâmes la construction d'un nouveau garage pour trois automobiles et d'un appartement de quatre pièces au-dessus du même garage pour grand-mère et grand-père, car nous ne pouvions vraiment pas les laisser seuls en Arizona.

Nous fûmes chanceux car nous vendîmes la maison de Scottsdale en six mois exactement, et nous déménageâmes à l'automne de 1989. Et, comme le disait Bette, tandis que nous transportions de lourdes boîtes en carton provenant de l'énorme camion de déménagement dans la vieille maison de ferme: «Eh bien, je n'ai pas fait beaucoup de progrès dans ma vie. Me voilà revenue à mon point de départ d'il y a plusieurs années.»

Avant même la première chute de neige de l'année, nous nous étions déjà passablement bien installés dans notre nouvelle demeure. Les menuisiers et les entrepreneurs avaient accompli un travail magistral pour la construction des pièces additionnelles et du garage, de même que pour la transformation de plusieurs des anciennes sections de la maison. J'étais particulièrement fier de mon nouvel atelier. Attenant à la vieille cuisine – ce qui avait été un espace de rangement dont la finition laissait à désirer, et où la lumière du jour et l'humidité filtraient à travers des plaques de plâtre rugueux – cet espace avait été transformé, grâce aux plans astucieux de notre fils Dana et de menuisiers très habiles, en une pièce très ensoleillée avec ses sept fenêtres, insonorisée et recouverte d'une moquette, pourvue d'un foyer et d'énormes bibliothèques en érable, pour que je puisse ranger tous mes livres dans ces bibliothèques qui se rejoignaient à angles droits à partir du mur du côté est.

Dans mon livre, *Une meilleure façon de vivre*, je me suis donné beaucoup de peine pour décrire mon atelier de Scottsdale à mes lecteurs, mais au moment où le livre fut publié, en 1990, nous ne vivions plus à

Scottsdale. J'essayai de mon mieux de me conformer à la description du livre concernant l'autre atelier en accrochant les photographies et les plaques aux murs du nouvel atelier à peu près dans la même disposition qu'à Scottsdale.

Blueberry Lane, notre petite route de terre battue, donnait directement sur un chemin goudronné à deux voies, du nom de Old Pound Road, à environ un demi kilomètre de notre maison. C'est à cet endroit, parmi les grands pins, que le Seigneur joua un autre «coup» imprévu dans ma vie. À la croisée de ces deux chemins, plusieurs blocs de pierre avaient été minutieusement empilés les uns sur les autres, de façon à former un enclos en granit, avec une entrée à l'arrière. Sur une des plus grosses pierres, en face de Old Pound Road, se trouvait une plaque de bronze indiquant l'année de la construction de cet enclos, 1817, et celle de sa restauration en 1948.

Au début du XIXe siècle, aux dires des gens, le secteur au nord du modeste village de Langville était en plein essor. Quand des animaux s'égaraient et étaient ensuite retrouvés par un voisin, ce dernier les raccompagnait sur Old Pound Road et les dirigeait dans l'enclos de pierre. Il s'assurait de bien obstruer la sortie avec des branches d'arbres desséchés afin que les vaches, les chevaux, les bœufs, ou tout autre animal, restent dans l'enclos jusqu'à ce que leur propriétaire vienne les réclamer.

Peu après notre arrivée, je repris une vieille habitude du temps de Scottsdale et, presque tous les jours, je marchai deux à trois kilomètres après le petit-déjeuner. Un matin, en approchant du Old Pound, un renard roux à fière allure, traversa lentement le chemin à dix mètres devant moi. Je me suis arrêté un instant pour observer ce petit animal jusqu'à ce qu'il disparaisse derrière les buissons.

Au lieu de continuer ma route, je décidai de quitter le chemin et d'emprunter le talus jusqu'à l'entrée de l'enclos. C'était ma première visite dans cet endroit. J'y suis entré non sans hésitation, les feuilles mortes amortissant le bruit de mes pas. Je suis demeuré là complètement immobile, me laissant pénétrer par les vibrations étranges des siècles passés. Mon Dieu! James Monrœ, le cinquième président des États-Unis, fut investi de ses fonctions la même année que cet enclos fut érigé!

Je ne me souviens pas pendant combien de temps je restai silencieux au centre de l'enclos quand soudain j'entendis une voix rauque et profonde à quelques pas de moi: «Monsieur Og, vous avez très bonne mine!»

Pendant un instant, je ressentis une véritable épouvante. Puis, je m'obligeai à me retourner lentement et j'aperçus un vieil homme appuyé sur le mur du côté sud, à environ dix mètres de moi. Il hocha la tête, sourit, puis il me fit signe de m'approcher de lui. Je retins mon souffle et j'avançai vers lui, d'abord très lentement, puis, je courus pendant les derniers mètres jusqu'à ce que nous tombions dans les bras l'un de l'autre. «Simon», m'écriai-je. «Est-ce vraiment vous? Oh! comme vous m'avez manqué!»

Le vieil homme me donna une petite tape sur la tête et fit signe que oui. «Je sais, je sais. Vous m'avez manqué aussi, monsieur Og... de tout mon cœur!»

Chapitre IV

Après plusieurs soupirs et maintes accolades, Simon Potter me conduisit vers une section de l'enclos où le mur était moins élevé, et nous nous sommes assis l'un près de l'autre, nos mains droites fermement agrippées l'une à l'autre. À part un début de calvitie, le vieil homme n'avait pas du tout changé depuis que je l'avais vu la dernière fois à Chicago au moment de célébrer son 79e anniversaire de naissance, juste avant sa disparition. Il devait avoir maintenant environ 95 ans. Je n'en revenais pas!

J'appris au cours de notre conversation que Simon avait, par des voies mystérieuses, suivi de près mes activités des 15 dernières années malgré notre séparation. Je mis ses connaissances à l'épreuve concernant certains événements, hors de l'ordinaire, ayant marqué ma vie au cours des dernières années: il en connaissait les moindres détails. Il sourit en commentant la tactique que j'avais utilisée quand j'ai parcouru le pays pour promouvoir la vente de mon livre *Le plus grand miracle du monde.* Chaque fois qu'un journaliste me posait des questions précises sur l'authenticité du vieux chiffonnier de mon livre, je lui disais de se référer à la Bible, à saint Jean (4, 48): «Jésus lui dit: «Si vous ne voyez signes et prodiges vous ne croirez donc jamais!»

J'ai quand même trouvé le courage au cours de notre dialogue de demander à Simon pourquoi il avait disparu de ma vie si abruptement. Il répondit qu'une situation d'urgence s'était présentée et qu'il était le chiffonnier le mieux qualifié pour prêter secours à un certain individu. Il m'expliqua également que, s'il m'avait prévenu de son départ, cela aurait été un événement encore plus douloureux pour lui et moi.

Il y avait tellement d'autres choses que je voulais demander à mon vieil ami, mais c'est à ce moment-là que j'entendis une automobile s'approcher sur Old Pound Road. Je distinguai Bette au volant de notre jeep Grand Wagoneer. Je tapotai la main de Simon, me levai et je courus vers le remblai. Au moment où Bette tourna le coin, elle me vit et appliqua les freins en fronçant les sourcils. Je m'approchai de l'auto, j'ouvris la portière et je lui dis: «Viens, chérie, à l'intérieur de l'enclos. J'aimerais que tu rencontres quelqu'un de très spécial.» Elle me suivit en silence jusqu'à ce que nous soyons presque rendus au centre de l'enceinte de pierres. Simon avait disparu.

À la suite des événements de cet inoubliable matin, l'enclos devint pour moi un véritable refuge. Au cours de mes promenades quotidiennes, je m'arrêtais à la croisée des chemins, je descendais le talus menant à l'enclos, et je m'assoyais sur un des gros blocs de pierre pendant environ dix minutes. J'étais alors sous le charme d'un silence presque angoissant et du chant d'oiseaux invisibles, perchés dans les branches. Bien sûr, je continuais d'espérer et de prier pour que Simon revienne. Et un beau matin ensoleillé, il revint en me saluant comme s'il n'était jamais parti. Quand j'insistai à savoir pourquoi il n'était pas resté dans l'enclos pour que je puisse le présenter à Bette, il haussa ses larges épaules et répliqua qu'il croyait plus sage de ne pas faire intervenir Bette dans notre relation. Dans les circonstances présentes, elle pouvait sincèrement affirmer qu'elle n'avait jamais rencontré Simon Potter, ni parlé avec lui. J'aurais voulu lui demander quelle différence cela pourrait bien faire... mais quelque chose m'en empêcha.

Ce matin-là, Simon et moi convînmes d'un arrangement peu commun. Nous décidâmes de nous rencontrer à l'enclos, tous les mardis matin, si je ne devais pas m'absenter pour donner des conférences. Nous pourrions, je l'espérais, reprendre de nouveau nos longues et agréables conversations sur la vie et à propos de ce qui se passe dans notre monde, comme nous le faisions jadis dans l'appartement du vieil homme. Lors d'un de nos premiers mardis ensemble, je me souviens lui avoir demandé avec audace s'il était réapparu dans ma vie parce que j'étais sur le point d'avoir grandement besoin de son aide. Il sourit, hocha la tête et répliqua: «Monsieur Og, je n'ai aucune raison de vous suivre. Vous devez comprendre que j'habitais déjà la région un an avant que vous arriviez.»

Simon m'expliqua qu'il avait pris cette décision d'un changement radical dans sa vie car il en ressentait un besoin impérieux; aussi s'était-il mis en quête d'un endroit beaucoup plus paisible que Chicago. Ayant en mémoire nos conversations au cours desquelles j'évoquais maintes fois la paix et la beauté du New Hampshire, Simon était venu s'établir dans cet endroit unique et avait déniché un vieux chalet comportant une seule pièce, dans les bois avoisinants. Il le loua d'une adorable dame riche résidant à Francestown. Que Bette et moi ayons déménagé à plus de 4 800 kilomètres de notre ancienne résidence et que nous ayons acheté une ancienne maison de ferme située à moins de 400 mètres du chalet de Simon – ce dernier soupira – tout cela faisait appel à des probabilités de plusieurs milliards contre une. «C'était là un merveilleux miracle, sans aucun doute», dit-il doucement. Mais il tenait à ce que je comprenne qu'il ne me poursuivait pas et que, selon ce qu'il présageait, je n'étais aucunement en danger.

Un mardi matin pendant que nous bavardions, Simon retira la vieille pipe de maïs éteinte toujours accrochée au coin de sa bouche et il dit, d'une voix hésitante qui ne lui ressemblait pas, qu'il sollicitait une faveur spéciale de ma part. Toutefois, il désirait m'inviter chez lui le mardi suivant, et une fois sur place, il m'expliquerait ce qu'il en était. Il me précisa qu'il avait besoin d'un coup de main pour un projet spécial qu'il avait essayé de compléter depuis plusieurs mois. À présent, il se sentait à l'aise de solliciter mon aide car il était convaincu que quelque chose de plus puissant que le destin nous avait réunis.

Le chalet de Simon était dissimulé au milieu des arbres, à quelques pas d'un étroit sentier. Voilé par la forêt, on ne pouvait l'apercevoir de Old Pound Road. La plupart des meubles de l'unique pièce bien ordonnée, m'expliqua Simon, appartenaient à la gentille dame qui lui avait loué le chalet. Mais les livres, rangés sur plusieurs étagères en pin, ces livres de la «main de Dieu» lui appartenaient tous.

Je crois que Simon avait planifié cette invitation depuis un certain temps. Il retira d'une petite glacière une bouteille de sherry blanc. C'était de nouveau le bon vieux temps avec ses éclats de rire et ses franches discussions. Finalement, Simon me fit part du genre d'aide dont il avait besoin. Il avait accumulé au fil des années plusieurs boîtes de notes proposant, selon lui, les meilleures méthodes pour transformer les individus qui ont subi des échecs en des êtres heureux et couronnés de succès. Il se demandait si j'accepterais de prendre ses notes et de rassembler ces «perles» de sagesse en une déclaration brève mais puissante, pleine de détermination, qui ferait du bien à tous ceux qui la liraient. Il s'affairait actuellement à choisir ses meilleurs écrits et il me dit qu'il pourrait me les remettre en mains propres en moins d'un mois. Puis, si j'étais satisfait du produit fini, je pourrais peut-être envisager de l'utiliser dans un livre, de la même façon que j'avais employé *Le Mémorandum de Dieu* dans *Le plus grand miracle du monde.* J'acceptai sans aucune hésitation.

Ce jour-là, au moment où je quittais le chalet de Simon, il y eut un immense fracas sur le toit. Simon sourit simplement et hocha la tête en disant: «Mon exceptionnel ami est de nouveau revenu. Venez à l'extérieur, monsieur Og, vous ne devez pas manquer ça.»

L'oiseau le plus gros que j'ai vu de ma vie était perché sur le rebord du toit. Simon m'expliqua que c'était un grand héron bleu et qu'il s'était empêtré dans un épais buisson de vignes sauvages le jour où Simon arriva par hasard sur les lieux et le libéra. L'oiseau, depuis ce matin-là, amenait toujours au vieil homme des canettes, des bouteilles et même des fleurs, laissant habituellement tomber ses «cadeaux» de remerciement sur le toit. Tandis que Simon m'expliquait cela, l'énorme oiseau ouvrit le bec et laissa tomber une canette de bière vide qui roula bruyamment en bas du toit et atterrit à nos pieds. Puis, il déploya ses ailes géantes et s'envola lentement au-dessus des arbres. Simon me dit qu'il avait appelé l'oiseau, Franklin, en l'honneur du seul président du New Hampshire, Franklin Pierce.

Plusieurs semaines plus tard, tandis que je travaillais dans mon bureau, essayant de me remettre à jour dans ma correspondance, il y eut un grand bruit sourd sur le toit de l'atelier. Croyant que l'énorme frêne près de la maison avait perdu une autre de ses grosses branches, je courus à l'extérieur. Franklin, le grand héron bleu, se tenait immobile sur le rebord du toit, la tête inclinée sur le côté, à m'observer avec intensité.

«Bon matin, monsieur Og!»

J'aurais dû m'en douter. Simon me rendait enfin visite, portant dans une main une grande serviette en cuir, et, naturellement, Bette était partie à Concord pour l'avant-midi afin de se faire coiffer. Je fis faire à Simon le tour complet de notre maison après qu'il eut signé notre livre d'invités dans le vestibule: il inscrivit *Simon Potter*, et, quant à son adresse, *La planète Terre*. Finalement, il visita mon atelier. Il n'avait fait que quelques pas à l'intérieur de la pièce quand il s'arrêta et regarda autour. Les yeux grands ouverts, il se tourna vers moi et il s'écria que la pièce ressemblait exactement à mon atelier de Scottsdale que j'avais décrit dans *Une meilleure façon de vivre*. Je lui expliquai pourquoi.

Puis, après que Simon se soit déplacé lentement dans toute la pièce, étudiant chaque plaque, chaque trophée, et les photos autographiées de Charles Lindbergh à Michael Jackson encadrées sur les murs, il ouvrit sa vieille serviette et sortit plusieurs feuilles de papier qu'il plaça sur une petite table basse. Après avoir révisé toutes ses notes pendant plusieurs semaines, il me rapportait ces feuilles-là qui, disait-il, contenaient les données à utiliser pour cet ouvrage exceptionnel. Ma tâche consistait à rédiger une déclaration puissante d'affirmation de soi que quelqu'un pourrait lire en six minutes ou moins, chaque matin, pour propulser cet être humain en question sur la bonne voie d'une journée couronnée de succès. Je lui dis que j'essaierais de faire de mon mieux, mais que de tout résumer en un texte aussi bref n'allait pas être une mince affaire. Il hocha la tête et me tapota l'épaule comme si j'étais un enfant: «Je suis persuadé que vous réussirez, monsieur Og», dit-il en souriant. Puis, il partit.

Je terminai le projet en seulement quelques semaines, intitulant l'œuvre achevée: *Pour le reste de ma vie...* J'avais dû mettre au point ou quelque peu remanier les puissantes pensées de Simon. Le mardi suivant la fête du Travail, tel que convenu, je livrai le produit fini à Simon au vieil enclos. Il ouvrit lentement l'enveloppe brune et en sortit mes feuillets dactylographiés. Quinze minutes s'écoulèrent avant qu'il jette un coup d'œil vers moi, les yeux remplis de larmes.

«C'est exactement la forme finale que je souhaitais pour ce texte, monsieur Og. Je prie pour que votre cœur vous inspire de l'utiliser dans un prochain livre.»

Sa main droite caressa la croix de bois qu'il portait toujours, suspendue à une lanière de cuir autour de son cou. Il retira la croix de son cou et me la tendit avec la lanière de cuir. Je voulus refuser mais il se fit insistant. Il voulait que j'aie une partie de lui pour que je ne l'oublie jamais – comme si c'était possible de l'oublier. Puis, il sortit sa vieille pipe de maïs de la poche de sa veste et dit: «Prenez la croix. Il me restera toujours ma vieille pipe comme consolation.»

Quand je laissai Simon – j'attendais un appel important de mon éditeur – il était encore assis sur les grosses pierres de granit en train de relire nos mots. Tous les détails de nos retrouvailles dans le New Hampshire, après une séparation de plusieurs années, incluant le très spécial ouvrage de motivation de Simon, intitulé *Pour le reste de ma vie...* parurent plus tard dans le livre que j'écrivis peu de temps après, *Le Retour du chiffonnier*[*].

---

* Publié aux éditions Un monde différent.

La première chose que je fis en arrivant à la maison fut de me diriger vers mon atelier et de suspendre la croix de Simon sur le tableau d'affichage derrière mon bureau. Puis, alors que Bette et moi prenions un léger repas dans la cuisine tout en parlant de ma rencontre spéciale de ce matin-là avec Simon, nous entendîmes un fracas épouvantable sur le toit, juste audessus de nos têtes. Nous sortîmes tous deux en trombe de la cuisine, et nous aperçûmes soudain Franklin, le grand héron bleu, en train de nous regarder fixement. Il secoua ensuite la tête et quelque chose tomba de son bec, roula bruyamment sur la pente raide du toit et atterrit sur le gazon à nos pieds. Je me penchai et je ramassai une vieille pipe de maïs. Je la remis à Bette en criant: «Non! non! non!» et je me mis à descendre Blueberry Lane vers le vieil enclos.

Quand Bette arriva à l'enclos, elle me trouva à l'intérieur, assis sur des feuilles humides en train de pleurer car je tenais dans mes bras le corps inamimé de Simon.

Chapitre V

Simon Potter fut enterré dans le petit cimetière de notre ville, sous un érable imposant. Le seul entrepreneur des pompes funèbres de la région, un bon et gentil vieil homme, nous facilita beaucoup la tâche en s'occupant de tous les détails, incluant l'achat du lot au cimetière. Seuls Bette et moi étions présents sur la tombe tandis que le cercueil du vieux chiffonnier, contenant aussi sa pipe de maïs, descendait lentement dans la fosse. Nous pleurâmes tous les deux. Moins d'un mois plus tard, Simon possédait sa propre petite pierre tombale de granit. Sur la face grise et polie de la pierre, selon nos instructions, l'inscription ciselée se lisait comme suit...

SIMON POTTER
1898-1993

Au revoir, mon très spécial ami.
Que le Seigneur veille sur toi et moi
quand nous sommes séparés l'un de l'autre.

Étant donné ma disposition d'esprit affligé et dépressif, il est heureux que je devins fort occupé peu après l'enterrement de Simon. Mes engagements comme conférencier m'amenèrent à travers tout le pays, de Portland, dans l'Oregon, pour l'Exposition commerciale, à West Palm Beach pour Fruit of the Loom, à Las Vegas pour deux apparitions, suivies d'une autre au bénéfice du programme de gymnastique de l'État de l'Arizona avec Willie Nelson sur le même programme, pour NU SKIN à Salt Lake City, et pour ReMax dans le nord de l'Indiana.

Quand mon nouveau livre, *L'Ange de l'espoir** fut publié, j'arrêtai momentanément mes conférences et je parcourus le pays afin de promouvoir le livre à la radio, à la télévision, et dans la presse dans plus d'une douzaine de villes. Au moment où j'approchais de mon soixante-dixième anniversaire de naissance, j'étais extrêmement affairé et j'adorais cela, jusqu'à ce qu'une visite médicale de routine chez mon médecin ne déclenche toutes sortes d'inquiétudes. On découvrit, après plusieurs autres examens et analyses, que j'avais un cancer de la prostate.

Comme le cancer ne s'était pas répandu au-delà de la prostate, je choisis de me la faire enlever plutôt que de la faire traiter par chimiothérapie. Toutefois, alors que j'étais sur la table d'opération, un imprévu survint. Je subis plusieurs crises cardiaques! Je fus immédiatement transporté d'urgence au Centre médical Darmouth-Hitchcock à Lebanon, dans le New Hampshire. En dépit de toutes les sondes qui émergeaient de mon corps et d'une sérieuse perte de sang subie lors de l'opération pour la prostate, les médecins décidèrent que je ne pourrais pas survivre plus

* Publié aux éditions Un monde différent.

de trente-six heures sans une opération immédiate à cœur ouvert; et nous ne pouvions pas attendre que mon corps ait retrouvé des forces par suite de la récente opération.

Au cours de ma chirurgie à cœur ouvert, laquelle dura plusieurs heures, ils remplacèrent une veine et la valvule aortique droite par une valvule artificielle. Je passai six semaines à l'hôpital, je perdis plus de quinze kilos, et je rentrai à la maison juste à temps pour passer Noël avec ma famille.

Au printemps de 1994, après avoir recouvré mes forces sans avoir repris trop de kilos, je continuai mon ancien programme de conférences. Quand j'étais à la maison, je passais de longues heures derrière la machine à écrire, à travailler à un nouveau livre. Je me sentais vraiment le même homme qu'avant.

Puis, au printemps de 1995, je me retrouvai de nouveau à l'hôpital avec ce que l'on appelle une endocardite, qui, comme je l'appris plus tard, s'avère habituellement mortelle. J'avais apparemment attrapé quelque part une étrange bactérie; celle-ci proliférait dans mes veines et venait graduellement obstruer ma nouvelle valvule cardiaque. Un jour ou l'autre, la valvule cesserait de s'ouvrir et de se refermer lors de chaque battement de cœur, et j'en mourrais. L'objectif de l'hôpital était d'éliminer complètement la bactérie présente sur la valvule et, pour y arriver, ils m'injectèrent de la pénicilline toutes les trois heures, vingt-quatre heures par jour. Je me souviens d'une période où je ne mangeai aucun aliment solide pendant douze jours. J'étais beaucoup plus près de la mort que j'en avais conscience.

Un soir, après m'être assoupi, je vécus une étrange expérience. Je vis Simon Potter en rêve. Sa pipe de maïs pendait au coin de sa bouche, il souriait et il hochait la tête vers moi en disant, encore et encore: «Vous irez très bien, monsieur Og! Tout ira très bien, monsieur Og!» Au cours de mon séjour à l'hôpital de presque sept semaines, je rêvai que Simon me disait ces mêmes mots au moins à quatre ou cinq reprises. Je ne savais pas quoi en penser et quand j'en parlai à Bette, elle sourit simplement, hocha la tête et me dit: «Je crois que ton ange gardien n'est pas bien loin, chéri.»

Au cours de mon second séjour à l'hôpital je perdis un autre quinze kilos. L'être costaud pesant presque 95 kilos avant sa première chirurgie à cœur ouvert, disposait maintenant, pour ses conférences, d'une penderie pleine de complets italiens en soie qui enveloppaient son corps comme des tentes de cirque. Ce qui m'attrista le plus durant ma période de convalescence, ce furent les nombreuses conférences que nous dûmes annuler – plus particulièrement un voyage aux frais de la princesse de huit conférences en Australie, à Hong Kong, à Singapour, et en Malaisie où les promoteurs avaient même été d'accord pour défrayer les dépenses de Bette pour qu'elle m'accompagne.

Quelques semaines après ma sortie de l'hôpital, j'entrepris un programme d'exercices que ma promenade habituelle des années passées complétait presque chaque matin: je remontais notre route de terre battue jusqu'au tournant, j'empruntais ensuite Old Pound Road pendant peut-être un kilomètre et demi, puis, je revenais sur mes pas.

Un matin, après mes exercices, quand je sortis de la maison et commençai à marcher, je fus mis en présence d'un grand héron bleu sur la route d'en face. Il se tenait bien rigide, me regardait fixement comme s'il n'avait attendu que moi pour faire son apparition. À l'instant où je m'en approchai, l'énorme oiseau se tourna et avança devant moi d'un air important, s'arrêtant de temps à autre pour jeter un coup d'œil derrière, dans ma direction, comme s'il voulait s'assurer que je continuais de le suivre.

Quand nous arrivâmes au vieil enclos, l'oiseau tourna à droite et continua sa route sur Old Pound Road. «*Mon Dieu*», pensai-je, «*il me conduit vers l'ancien chalet de Simon. Ce doit être Franklin!*»

Le grand héron bleu s'arrêta de nouveau et regarda vers moi. Puis, il tourna à droite et disparut de ma vue. Je savais qu'il avançait maintenant dans l'étroit sentier, envahi de fougères et de hautes herbes, qui menait à ce qui avait été la maison de Simon. Quand j'arrivai au sentier, je tournai également à droite, me frayant lentement un chemin à travers une multitude de mauvaises herbes et de buissons de myrtilles sauvages.

Je débouchai finalement dans une clairière recouverte d'herbes hautes et de pâquerettes. À environ 20 mètres devant moi, Franklin s'était arrêté pour jeter encore une fois un coup d'œil vers moi. Devant nous, le chalet d'une pièce, la dernière demeure de Simon, était environné d'arbres et de buissons. Je jure que Franklin me salua d'un signe de tête, puis, il ouvrit ses larges ailes et prit son envol gracieusement en direction de l'ouest.

Je m'approchai très lentement du petit chalet. Mon cœur «réparé» battait beaucoup plus fort que d'habitude. Depuis la mort de Simon, j'avais roulé des centaines de fois sur Old Pound Road, mais je n'arrivais jamais à m'arrêter pour aller revoir le site du chalet de Simon. Cela avait été suffisamment difficile d'affronter son décès, sans que j'aie à m'infliger d'autres souffrances additionnelles.

Le petit chalet, un peu plus grand qu'une cabane, était maintenant délabré. Les quatre fenêtres avaient été fracassées et quand je poussai l'unique porte, déjà partiellement ouverte, je me trouvai en présence d'un intérieur entièrement saccagé. Le lit étroit avait été retourné à l'envers, son mince matelas recouvert de morceaux de verre gisait sur le plancher. Les rideaux rouges qui m'étaient familiers avaient été arrachés des fenêtres et jetés en tas près de la porte. Des livres étaient éparpillés partout; certains avaient même été placés à l'intérieur du petit frigo dont la porte était restée ouverte. Les pieds de la petite table basse de Simon avaient été cassés; il y avait un gros bloc de pierre dans l'évier gris en émail et une bûche en pin émergeait du sommet du petit poêle à bois. Était-ce des adolescents qui avaient voulu s'amuser? L'endroit n'aurait pas été plus en désordre si quelqu'un avait fait exploser une petite bombe à l'intérieur. Quel dommage!

Je marchai lentement dans la petite pièce, essayant de me rappeler tous les bons moments que nous avions passés ensemble à bavarder dans ce chalet. Nous sommes bien chanceux, nous les êtres humains, d'avoir des souvenirs qui s'avèrent toujours beaucoup plus durables, dans notre vie, que les choses matérielles.

Je ramassai deux livres détrempés et j'enlevai les éclats de verre qui les recouvraient. Les titres de ces derniers étaient *Walden ou La Vie dans les bois* de Henry David Thoreau et *Autobiographie* de Benjamin Franklin. Je me souvins que ces deux livres étaient parmi les préférés de Simon. Je m'appuyai contre un mur et je fermai les yeux. Aurait-il été préférable que je vienne souvent sur le site? Cela aurait-il évité tous ces ravages inutiles? Je ne sais pas.

Le vieux bureau à cylindre du chiffonnier – qui était, à ses dires, le seul meuble qu'il ait rapporté de son appartement de Chicago – se trouvait sur le côté ouest de la maison, près de l'endroit où je m'étais appuyé. Il se tenait encore droit au milieu de tous les débris et son abattant pivotant était fermé. Ne sachant pas ce que j'y trouverais, je respirai profondément, je me penchai et j'ouvris lentement l'abattant pivotant. Il n'y avait rien à l'intérieur... pas de papiers...ni de stylos ou de crayons... pas même un calendrier... rien..., si ce n'est un gros cahier à feuilles mobiles dont plusieurs étaient arrachées. Un Post-it jaune était accroché à la couverture d'un bleu décoloré grâce à un trombone rouillé. On pouvait y lire, écrits en lettres majuscules, les deux mots suivants: MONSIEUR OG!

Chapitre VI

Serrant très fort le vieux cahier sur ma poitrine, j'avançai avec précaution à travers les morceaux de verre et les débris jusqu'à ce que j'atteigne la porte. Une fois à l'extérieur, je respirai profondément à plusieurs reprises et je revins lentement chez moi.

Bette se trouvait exactement où je l'avais laissée quand j'étais sorti par la porte de la cuisine pour entreprendre ma promenade du matin. Elle était toujours à l'étage, dans sa salle de couture, en train de travailler sur un édredon piqué. Je me fis une tasse de café instantané et l'emportai dans mon atelier avec le vieux cahier.

Je restai assis à mon bureau pendant très longtemps à caresser lentement des mains la couverture déchirée du cahier. Finalement, je l'ouvris. Sur la première page de ces feuilles mobiles dont les lignes étaient très rapprochées je découvris une lettre, non datée, à mon attention, et écrite à grands traits de plume gracieux, à l'encre noire. De nouveau encore, je sentis la présence de Simon dans mon atelier. Je pris une longue gorgée de café avant de commencer ma lecture...

Cher monsieur Og,

Je réalise pleinement qu'il y a très peu de chances que vous lisiez un jour ces mots ou le contenu de ce cahier, et pourtant, même si je ne peux pas vraiment m'y attendre, il me reste encore l'espoir.

Depuis notre première rencontre dans ce parc de stationnement enneigé, il y a tellement d'années, votre amitié a représenté pour moi un précieux don de Dieu. Dans votre livre très spécial, «Le plus grand miracle du monde», vous aviez eu la gentillesse d'y inclure «Le Mémorandum de Dieu», que je vous avais fait parvenir en même temps que d'autres écrits à propos de notre période passée ensemble à Chicago. Je suis sûr et certain que vos mots ont aidé plusieurs âmes à sortir de leurs marécages de misères et de désespoirs. J'avais également bon espoir que vous utilisiez un jour cet ouvrage bref mais puissant «Pour le reste de ma vie...» que vous avez écrit en vous inspirant de mes notes; cela s'est fait quand vous avez décidé de rédiger l'histoire de nos incroyables retrouvailles, ici même, dans le New Hampshire, après toutes ces années.

Depuis votre retour miraculeux dans cette si belle région du monde, j'ai été tenté à plusieurs reprises de vous demander votre opinion concernant le contenu de ce cahier sur lequel j'ai travaillé, par moments, depuis plusieurs années. Je n'ose même pas essayer d'évaluer pendant combien d'heures j'ai peiné sur la matière contenue dans ces pages. Et pourtant, je n'ai jamais pu me décider à vous demander de prendre le temps nécessaire pour lire et évaluer ce travail, et me donner votre franche opinion. Un jour, peut-être, Dieu me donnera le courage de vous montrer cet ouvrage, mais d'ici là, il dormira là dans le ventre de mon vieux bureau.

Monsieur Og, vous êtes bien au courant de ces livres que j'ai collectionnés au fil des années et que j'appelle avec fierté mes livres de la «main de Dieu». Grâce à plusieurs années d'observation, je suis maintenant convaincu que les principes les plus sages et les plus puissants pour parvenir à la réussite et à une vie satisfaisante ne se trouvent même pas, de nos jours, dans les plus grandes librairies, parmi les innombrables rangées de livres contemporains, aux couvertures voyantes, classés dans la catégorie des livres de motivation ou de livres axés sur les efforts personnels. Il est triste de penser que presque tous les ouvrages classiques authentiques expliquant comment vivre une vie satisfaisante, paisible, prospère et en toute quiétude, ne sont plus offerts dans les librairies, et cela depuis plusieurs années. Toutefois, les vérités puissantes et fondamentales que ces livres contiennent concernant la réussite vont vivre éternellement.

Après bien des lectures et de la réflexion, pendant plusieurs années, j'ai choisi avec soin des extraits de plusieurs chefs-d'œuvre de la «main de Dieu» et je les ai réunis dans ce que j'ai osé appeler Conseils inspirés du Ciel. D'une certaine façon, chacun de mes choix d'extraits peut être considéré comme un échelon de l'échelle de la vie, étant donné que chacun de ces choix contient des observations et des conseils précis qui, je persiste à le croire, ont été guidés par la main de Dieu. Il est à souhaiter que le lecteur gravira chaque échelon jusqu'à ce qu'il abandonne derrière lui tous les éléments négatifs et nuisibles dans sa vie, et qu'il se tiendra enfin fièrement au sommet de l'échelle, à jouir d'une nouvelle vie pleine de joies et d'accomplissements.

En préparant cet ouvrage, j'eus à relever plusieurs défis. Le plus difficile fut d'utiliser le langage d'un autre âge et de le réécrire afin que le lecteur d'aujourd'hui ne soit pas embarrassé par des mots et des phrases archaïques du passé, tout en conservant en même temps la pensée originale de l'auteur. Un autre défi fut d'éliminer la prépondérance de la « teinte masculine » omniprésente dans tous les écrits, attitude courante dans la littérature des générations précédentes, afin que les messages s'adressent à la fois aux femmes et aux hommes d'aujourd'hui. Le troisième défi consistait à imaginer un quelconque système logique que je pourrais utiliser, de temps à autre, pour interrompre l'auteur original avec mes propres commentaires concernant un sujet précis.

La réécriture fut enfin complétée à ma satisfaction. J'ai également fait en sorte d'extirper la plus grande partie de ce que nous appellerions aujourd'hui la « teinte sexiste » de certaines phrases. J'ai aussi développé une méthode afin d'inclure mes commentaires, chaque fois que je le jugeais nécessaire, en mettant simplement mes mots entre parenthèses, dans des paragraphes à part, paraphés par moi, afin de distinguer mon texte de celui de l'auteur original.

Si ce manuscrit est encore au même endroit, dans mon vieux bureau à cylindre, quand je quitterai ce monde pour le dernier voyage, il appartiendra alors aux forces célestes de déterminer si oui ou non vos yeux liront un jour mon ouvrage afin que vous puissiez décider si oui ou non il mérite d'être partagé avec le reste de l'humanité. Je ne peux que prier dans ce sens.

Encore une fois, Mizpah,

Simon

Ma main tremblait quand je tournai la page et lus...

Conseils inspirés du Ciel

Cher lecteur... vous tenez actuellement entre les mains ce qui pourrait constituer votre guide pour une vie meilleure. Servez-vous de votre imagination et considérez ce livre et son message comme étant une échelle unique forgée au ciel. Cette échelle vous emportera bien au-delà des futilités et des échecs que vous avez subis par le passé, jusqu'à ce que vous atteigniez un jour un nouveau palier où abonderont la joie, la fierté et le succès.

Soyez assuré que les conseils et les directives proposés à chaque échelon de cette singulière échelle céleste vous guideront et vous aideront à gravir chaque échelon, l'un après l'autre, jusqu'à ce que vous acquériez enfin le savoir-faire et la motivation nécessaires pour que votre vie devienne tout ce que vous avez rêvé qu'elle soit.

Sachez bien que les minutes présentes sont peut-être les plus importantes de votre vie. Allez dans un endroit paisible pour éviter toute distraction et lisez ce qui est écrit dans le chapitre «Le premier échelon de l'échelle de la vie». Lisez lentement. Prenez en considération les sages conseils qu'il contient et laissez ces mots guider et définir vos actions dans les jours qui suivront.

Regardez un calendrier. Encerclez la date d'aujourd'hui. La semaine prochaine, le même jour de la semaine, prenez le temps de lire à la fois «Le premier échelon de l'échelle de la vie» et «Le second échelon de l'échelle de la vie». Une semaine plus tard, lisez «Le second échelon de l'échelle de la vie» et «Le troisième échelon de l'échelle de la vie», et continuez d'utiliser cette technique spéciale jusqu'à ce que vous arriviez finalement au sommet de l'échelle, l'absolu sommet, où vous serez plus proche de la paix, du bonheur et du ciel. Ce que vous ferez alors dépend entièrement de vous.

Si vous êtes satisfait de vos progrès après avoir grimpé le premier échelon de l'échelle, mettez alors ce livre de côté dans un endroit où vous pourrez le récupérer rapidement si vous en avez besoin. Considérez ce livre de la même façon que la roue de secours de votre automobile. Si vous vous apercevez que vous retombez dans vos anciennes habitudes de vie, ou que vous vous débattez pour surmonter une quelconque adversité inattendue, ouvrez simplement le livre au premier échelon et commencez de nouveau votre ascension de la même façon. Cela n'est pas difficile et vous ne le regretterez pas.

Finalement... en dernière analyse... votre vie et votre avenir sont entre vos seules mains. Vous possédez maintenant le pouvoir, les connaissances et les moyens pour faire en sorte que tous vos lendemains se transforment en un ciel unique et exceptionnel, ici même sur terre.

Vous méritez une meilleure façon de vivre. Votre avenir est enfin entre vos mains. Vivez-le pleinement!

Chapitre VII

Le premier échelon de l'échelle de la vie

Il s'appelait Orison Swett Marden. Les mots que vous lirez en gravissant le premier et le second échelon de l'échelle de la vie sont extraits de son classique, *Pushing to the Front,* dont la première édition fut publiée en 1883, et ce livre demeura un succès de librairie pendant plus d'une décennie, à la fois dans ce pays et à l'étranger.

Quelle chance nous avons que cet homme sage du passé puisse encore communiquer avec nous. Tandis que vous lirez ses mots, vous découvrirez, je l'espère, deux principes très importants qui sont indispensables dans votre quête d'un avenir plus prometteur. Le premier principe est que la possibilité d'une meilleure vie vous est accessible là où vous êtes, en ce moment même! La réussite et une vie avantageuse ne se trouvent pas dans le lointain, au bout d'un quelconque arc-en-ciel, elles sont beaucoup plus proches de vous, vous les découvrirez dans votre propre voisinage!

Quand vous parviendrez au second échelon de l'échelle de la vie, le même auteur vous rappellera aussi que, parmi les individus qui ont eu le plus de succès dans le monde, plusieurs ne se situaient pas au-dessus de la moyenne quant aux talents, mais étaient en fait des gens ordinaires qui refusaient de vivre une vie marquée par l'échec. Pour votre propre bien, je vous supplie de tenir compte des mots de cet homme. Remâcher le passé et rêver paresseusement aux lendemains sont toutes deux de futiles poursuites. Afin de pouvoir gravir cet échelon spécial, maintenant à votre portée, vous devez saisir le moment présent quel que soit votre âge.

Si vous n'avez pu parfaire votre éducation; si vous avez été désavantagé dès le départ dans la vie; si vous disposez de peu de confiance en soi, de cran et de courage; si vous êtes timide, susceptible ou si vous manquez d'initiative, les mots qui vont suivre vous aideront à surmonter ces lacunes. Si vous sentez que votre vie s'est avérée un échec; que vous n'avez jamais trouvé votre place; que la réussite s'adresse aux autres mais pas à vous; si vous avez perdu le sens de votre vie, votre confiance en vous-même ou en votre prochain, prêtez une attention toute spéciale aux déclarations de monsieur Marden et laissez-les vous conduire au sommet de l'échelle de la vie. Prenez courage! Vous serez bientôt en route portant un flambeau qui transformera votre éphémère ambition en une flamme vivante qui projettera un halo autour du reste de vos jours. S.P.)

«Les bonnes perspectives d'emploi pour les jeunes n'existent plus comme autrefois», se plaignait un jeune étudiant en droit à Daniel Webster. «Vous vous trompez», répliqua le grand homme d'État et juriste, «il y a toujours de la place au sommet».

Aucune chance de réussir? Pas de perspectives d'avenir? Dans un pays où des milliers d'enfants deviennent par la suite très riches, où des vendeurs de journaux deviennent un jour membres du Congrès, et où ceux qui sont nés dans des conditions sociales des plus modestes atteignent les plus hauts postes? Le monde n'est que portes ouvertes et opportunités pour ceux-là qui les utiliseront. Mais, comme le Pèlerin de Bunyan dans le cachot du château du Grand Désespoir – lequel avait conservé sur lui pendant tout ce temps la clé de sa délivrance mais ne s'en était plus souvenu – nous ne réussissons pas à compter entièrement sur nos talents pour parvenir à tout ce qui est bon pour nous, ce qui fut pourtant accordé tout aussi bien au plus faible qu'au plus fort. Nous dépendons trop d'une aide extérieure. Nous cherchons trop loin ce qui se trouve sous nos yeux.

Une dame de Baltimore perdit un précieux bracelet en diamants lors d'un bal, et elle supposa qu'on l'avait volé dans la poche de son manteau. Plusieurs années plus tard, elle lavait l'escalier de l'institut Peabody, se demandant comment obtenir de l'argent pour acheter de la nourriture. Elle déchira un vieux manteau usé et en lambeaux pour en faire un capuchon quand, ô surprise! elle découvrit le bracelet en diamants dans la doublure du manteau. Pendant toute sa période de pauvreté, elle valait 3 500$ mais elle ne le savait pas!

Plusieurs d'entre nous se croient pauvres, mais en fait nous sommes riches par les multiples occasions que nous avons de faire des choses, si nous pouvions seulement en prendre conscience, nous sommes en possibilités tout autour de nous, en facultés mentales qui valent plus que des diamants. Dans nos grandes cités de l'Est, il est établi qu'au moins 94% des gens trouvèrent d'abord leur fortune à la maison, ou à portée de la main, et en satisfaisant des besoins courants et quotidiens. *Quelle triste journée pour ceux-là qui se montrent incapables de saisir les occasions au bon moment, mais qui pensent pouvoir faire mieux quelque part ailleurs!*

(Remarquez que j'ai mis en italique la phrase précédente vu son importance. J'utiliserai cette méthode chaque fois que je croirai nécessaire de renforcer la déclaration de l'auteur. S.P.)

Certains bergers brésiliens s'organisèrent en groupe pour aller en Californie afin de chercher de l'or. Ils emportèrent avec eux une poignée de cailloux translucides pour jouer aux dames pendant le voyage. Une fois arrivés à San Francisco, et après avoir jeté la plupart des cailloux, ils découvrirent que c'étaient des diamants. Ils revinrent en hâte au Brésil et apprirent que la mine où on avait trouvé les cailloux translucides avait été achetée par d'autres prospecteurs et qu'on l'avait vendue au gouvernement.

La mine d'or et d'argent la plus riche du Nevada fut vendue par son propriétaire pour 42$. Ce dernier voulait obtenir de l'argent pour payer son passage vers d'autres mines où il pensait pouvoir devenir riche. Le professeur Agassiz parla un jour à ses étudiants d'Harvard d'un fermier qui possédait une ferme peu rentable de plusieurs centaines d'hectares de bois et de roches. Il décida de vendre et de se lancer dans une affaire plus profitable. Il résolut d'entrer dans le domaine du kérosène; il étudia les gisements houillers et les dépôts de kérosène, et expérimenta pendant longtemps. Puis, par dépit, il vendit sa ferme 200$ et se lança à fond dans sa nouvelle entreprise située 300 kilomètres plus loin. Peu de temps après, l'homme qui avait acheté sa ferme y découvrit une grande quantité de kérosène, que le fermier avait précédemment essayé d'évacuer en ignorant sa valeur.

Il y a plusieurs centaines d'années, un Perse du nom d'Ali Hafed vivait jadis non loin du fleuve Indus. Il possédait une maison sur le bord du fleuve d'où il avait une vue imprenable sur ce merveilleux pays s'étendant jusqu'à la mer. Il avait une femme et des enfants, une très grande ferme, des champs de céréales, des jardins de fleurs, des vergers, et des kilomètres de forêts. Il avait beaucoup d'argent et tout ce qu'un cœur peut désirer. Il était satisfait et heureux. Un soir, il reçut la visite d'un vieux prêtre bouddhiste qui prit un siège devant le foyer et expliqua ensuite au fermier la création du monde, et comment les premiers rayons de soleil se condensaient à la surface de la terre pour devenir des diamants.

Le vieux prêtre dit qu'une seule goutte de soleil de la taille de son pouce, transformée en diamant, valait davantage que d'importantes mines de cuivre, d'argent ou d'or; qu'avec une seule de ces gouttes, il pourrait acheter plusieurs fermes comme celle du fermier; qu'avec un certain nombre de ces gouttes, il pourrait acquérir le comté; et avec une mine de diamants, il pourrait se procurer un royaume. Ali Hafed écoutait et ne se considérait plus à présent comme un homme riche. Il était mécontent parce qu'il s'imaginait maintenant pauvre.

De bonne heure, le lendemain matin, il réveilla le prêtre qui avait été la cause de son déplaisir et il lui demanda avec anxiété de lui indiquer où il pourrait trouver une mine de diamants. «Pourquoi désires-tu des diamants?» demanda le prêtre stupéfait.

«Je veux être riche et placer mes enfants sur des trônes.

– Va, cherche-les jusqu'à ce que tu les trouves. C'est tout ce que tu as à faire», dit le prêtre.

– Mais où dois-je aller?» demanda piteusement le fermier.

– Va partout, vers le nord, le sud, l'est ou l'ouest.

– Mais comment saurais-je que j'ai finalement trouvé l'endroit?

– Quand tu découvriras une rivière parcourant des bancs de sable blanc, entre de hautes montagnes, dans ce sable blanc tu trouveras des diamants», répondit le prêtre.

L'homme mécontent vendit sa ferme à perte, confia sa famille à un voisin, prit de l'argent qu'il avait placé et partit en quête du trésor convoité. Par-delà les montagnes d'Arabie, à travers la Palestine et l'Égypte, il erra pendant des années mais ne trouva pas de diamants. Quand il n'eut plus d'argent et que la privation fut son lot quotidien, honteux de sa folie et de ses haillons, le pauvre Ali Hafed se jeta dans une énorme vague et sombra. Celui qui avait acheté sa ferme était un homme satisfait, pour qui le cadre de vie était sacré, et qui ne croyait pas qu'il faille partir loin de la maison à la recherche de diamants et de la réussite. Un jour, alors que son chameau s'abreuvait dans le jardin, il remarqua un éclat de lumière dans le sable blanc de la fontaine. Il ramassa un caillou noir d'où étincelaient de brillantes couleurs. Il plaça la pierre dans sa maison sur le chambranle du foyer et l'oublia.

Le vieux prêtre bouddhiste, qui avait inspiré à Ali Hafed un mécontentement néfaste, vint un jour visiter le nouveau propriétaire de la ferme. Il venait tout juste d'entrer dans la pièce quand son œil vit un jet de lumière sur l'âtre du foyer. « Voilà un diamant! Voilà un diamant! » s'écria-t-il tout excité. « Ali Hafed est-il de retour?

– Non», dit le fermier, «et cela n'est pas un diamant. Ce n'est qu'une pierre trouvée dans notre jardin.» Ils se rendirent dans le jardin et plongèrent leurs doigts dans le sable blanc, et soudain, apparurent d'autres diamants encore plus beaux et plus précieux que le premier. C'est ainsi que fut découverte la Golconde, la mine de diamants la plus riche de toute l'histoire de l'humanité. Si Ali Hafed s'était contenté de rester à la maison et de creuser dans son propre jardin, plutôt que de partir à l'étranger en quête de la richesse, il aurait été l'un des hommes les plus riches au monde, car la ferme entière abondait du plus riche des joyaux.

Vous avez dans la vie votre propre place et votre propre travail qui n'appartiennent qu'à vous. Découvrez-les, remplissez-les. Quiconque lit ces lignes a une aussi grande chance de réussir que Garfield, Wilson, Benjamin Franklin, Abraham Lincoln, Harriet Beecher Stowe, et des milliers d'autres avaient. Mais pour réussir, vous devez être prêt à saisir l'occasion et à en tirer parti quand elle se présente. *Souvenez-vous que quatre choses ne reviennent pas: les mots qu'on a dits, la flèche décochée, la vie passée, et une occasion qu'on laisse échapper.*

L'un des paradoxes de la civilisation est le suivant: plus on profite des occasions plus on en crée de nouvelles. De nouveaux débouchés sont toujours aussi faciles à trouver pour ceux qui font de leur mieux; bien qu'il soit plus difficile qu'autrefois d'acquérir une grande réputation dans les métiers conventionnels, car le niveau exigé a augmenté considérablement et la concurrence s'est accrue grandement. «Désormais, le monde n'est plus de l'argile», disait Ralph Waldo Emerson, «mais plutôt du fer entre les mains de ses travailleurs, et nous devons donc maintenant nous bâtir une place pour nous-mêmes grâce à notre labeur farouche et acharné.»

Des milliers de personnes ont fait fortune grâce à des bagatelles auxquelles les autres n'avaient pas prêté attention. Tout comme l'abeille fabrique son miel à partir de la même fleur que l'araignée obtient du poison, de la même manière certains parmi nous feront fortune grâce aux choses les plus usuelles et les plus courantes, tels les morceaux de cuir non utilisés, les déchets provenant du coton, les scories de métal, la limaille de fer, dont les autres ne soutirent que pauvreté et échec. Il n'y a pas un seul élément contribuant au confort et au bien-être de l'humanité, pas un seul article ménager, pas même un ustensile de cuisine, une pièce de vêtement ou un aliment, qui ne puisse être amélioré, et receler par le fait même une fortune.

Les occasions? Elles sont là tout autour de nous. Les forces de la nature interviennent afin d'être utilisées au service de l'humanité; tout comme les éclairs depuis des temps immémoriaux ont attiré notre attention sur la grande force que constitue l'électricité. Celle-ci pourrait accomplir nos corvées tout en nous laissant le temps de développer les pouvoirs intérieurs que Dieu nous a donnés. Il y a partout un pouvoir latent qui n'attend qu'un œil observateur pour le découvrir.

Découvrez d'abord ce dont le monde a besoin, puis, suppléez à ce manque. Une invention qui consisterait à faire sortir la fumée du mauvais sens dans une cheminée pourrait s'avérer une chose très ingénieuse, mais ce ne serait d'aucune utilité pour l'humanité. Le bureau des brevets à Washington est plein de merveilleux appareils aux mécanismes ingénieux, mais pas un seul parmi des centaines est d'une quelconque utilité pour son inventeur ou pour le reste du monde. Et que penser de toutes ces familles qui ont été appauvries et se sont débattues pendant des années au milieu de la misère et du chagrin, pendant que le père s'acharnait sur des inventions inutiles.

Un homme ayant le sens de l'observation, dont les œillets de souliers s'étaient brisés, mais qui ne pouvait pas s'en acheter une autre paire, se dit à lui-même: «Je vais fabriquer des œillets en métal qui pourront être rivetés dans le cuir.» Il était alors tellement pauvre qu'il devait emprunter une faucille pour couper le gazon en face de son logement. Il devint un homme très riche.

Un coiffeur très observateur de Newark, dans le New Jersey, eut l'idée de perfectionner les ciseaux pour couper les cheveux; il inventa la tondeuse mécanique et devint très riche. On demanda à un homme, originaire du Maine, qui travaillait dans les champs, de revenir à la maison pour laver des vêtements à la place de son épouse invalide. Il n'avait jamais réalisé auparavant ce que c'était que de faire la lessive. Trouvant la méthode lente et laborieuse, il inventa la machine à laver et fit fortune. Un homme souffrant d'un terrible mal de dents pressentit qu'il y avait sûrement une façon de plomber les dents pour éviter qu'elles fassent mal; il inventa la méthode des obturations en or pour les dents.

Les grandes réalisations de ce monde n'ont pas été accomplies par des gens ayant de grandes ressources. La machine à égrener le coton fut inventée dans une hutte de troncs d'arbres. John Harrison, le grand inventeur du chronomètre de la marine, commença sa carrière dans le grenier d'une vieille bicoque. Certaines pièces du premier bateau à vapeur en service en Amérique furent assemblées par John Fitch dans la sacristie d'une église de Philadelphie. Cyrus Hall McCormick imagina sa fameuse moissonneuse dans un moulin. La première maquette d'un navire en cale sèche fut réalisée dans un grenier. Monsieur Clark, fondateur de l'université Clark à Worcester, dans le Massachusetts, commença à bâtir son immense fortune en fabriquant des wagons jouets dans une écurie. Thomas Edison débuta ses expériences dans un fourgon à bagages, sur le chemin de fer Grand Trunk, quand il était vendeur de journaux.

Michel-Ange découvrit un bloc de marbre de Carrare abandonné parmi les ordures ménagères sur le trottoir d'une rue de Florence. Un artisan maladroit l'avait découpé, taillé en pièces, abîmé et mis au rebut. D'autres artistes avaient sans aucun doute remarqué l'excellente qualité de ce marbre et regrettèrent qu'il ait été gaspillé. Mais Michel-Ange voyait quand même un ange à travers ce bloc de marbre abîmé, et avec son ciseau et son maillet il en tira l'une des plus belles statues créées par la main de l'homme, le jeune David.

On disait de Patrick Henry qu'il était paresseux, qu'il était bon à rien comme fermier, et il échoua comme marchand. Il étudia le droit pendant six semaines et afficha ensuite sa plaque d'avocat. Quand il gagna sa première cause, il comprit finalement qu'il lui était possible de réussir même dans son coin de pays de Virginie. Quand on passa la loi sur le timbre, Patrick Henry fut élu à la Chambre des députés de la Virginie, et il introduisit sa fameuse résolution contre la taxation injuste imposée aux colonies américaines.

Le grand philosophe naturaliste, Michel Faraday, qui était le fils d'un forgeron, écrivit, quand il était jeune homme, à Humphry Davy, afin de solliciter un emploi à l'Institution royale. Monsieur Davy consulta un ami à ce sujet: «Voici une lettre d'un jeune homme du nom de Michel Faraday; il a assisté à mes cours et il veut que je lui trouve un emploi à l'Institution royale, que puis-je faire?

– Que pouvez-vous faire? Faites-lui laver les fioles. S'il a vraiment de la valeur, il le fera sans hésiter. S'il refuse de le faire, c'est un propre à rien.» Mais le garçon qui faisait des expériences dans le grenier d'une boutique d'apothicaire – avec une vieille casserole et des fioles en verre pendant chaque moment libre où il pouvait se soustraire à son travail – vit dans le fait de laver des fioles une réelle opportunité qui, avec le temps, l'amena à devenir professeur à l'Académie royale de Woolwich. John Tyndall disait de ce garçon: «Il est le plus grand philosophe expérimentateur que le monde ait jamais connu!» Il devint la merveille de son époque dans le domaine des sciences.

Voici la légende d'un artiste qui chercha pendant longtemps du bois de santal pour sculpter une statue de la Madone. Il était sur le point d'abandonner par désespoir, laissant ainsi s'échapper une vision de sa vie non réalisée, quand dans un rêve on l'invita à sculpter sa Madone dans un tronçon de chêne qu'on s'apprêtait à jeter au feu. Il obéit à ce songe et créa un chef-d'œuvre à partir de rondins de bois de chauffage. Dans la vie, plusieurs parmi nous laissent passer de grandes occasions car ils attendent de découvrir du bois de santal pour leurs sculptures. Par conséquent, ces sculptures restent cachées à tout jamais dans les rondins bien ordinaires que nous faisons brûler. Une personne traverse la vie sans se rendre compte de ses chances d'accomplir quelque chose de grand, tandis qu'une autre, à côté d'elle, saisit toutes les occasions de mener à bien des réalisations exceptionnelles dans les mêmes circonstances, à partir des mêmes privilèges.

Quelle triste journée pour ceux-là qui se montrent incapables de saisir les occasions au bon moment, mais qui pensent pouvoir trouver mieux quelque part ailleurs!

Nous ne pouvons pas tous faire de grandes découvertes comme Isaac Newton, Michel Faraday et Thomas Edison, ou peindre des tableaux immortels comme Michel-Ange ou Raphaël. Mais nous pouvons tous rendre nos vies sublimes, *en saisissant des occasions ordinaires pour en faire des réalisations extraordinaires.*

Si vous voulez devenir riche, étudiez vos propres besoins et votre personnalité. Vous découvrirez que des millions d'autres personnes ont les mêmes besoins. L'entreprise la moins risquée est toujours intimement liée à nos besoins fondamentaux. Il nous faut des vêtements et un logis. Nous devons manger. Nous désirons des commodités, des services de toutes sortes pour les loisirs, l'éducation et la culture. Quiconque peut combler un grand besoin humain, améliorer certaines méthodes que les hommes et les femmes utilisent, répondre à n'importe quelle demande en matière de confort, ou contribuer d'une façon ou d'une autre au bien-être de l'humanité, peut faire fortune. *Et cette fortune peut être bâtie ici même là où vous êtes actuellement!*

Chapitre VIII

Le second échelon de l'échelle de la vie

La plupart des gens ne considèrent pas la vie de la bonne manière. Ils neutralisent une grande partie de leurs efforts par leur attitude mentale qui ne correspond pas à ce qu'ils s'efforcent de faire. En réalité, tout en travaillant pour obtenir une chose, ils en attendent une autre. Ils ne se mettent pas au travail avec l'assurance de la victoire qui force le résultat, attire la détermination et la confiance qui, elles, n'admettent aucune défaite.

Avoir l'ambition de devenir riche, et cependant toujours s'attendre à être pauvre, douter constamment d'être capable de réaliser ce qu'on désire, c'est comme escompter atteindre l'Est en voyageant du côté de l'Ouest. Il n'existe aucune philosophie pour aider quelqu'un à réussir quand il doute toujours de son habileté et que, par cette attitude, il s'attire bien des échecs.

Vous avancerez du côté que vous regardez. Si vous regardez vers la pauvreté, vous irez dans cette direction. Si d'autre part, vous vous en détournez et si vous refusez d'avoir rien à faire avec elle, vous commencerez alors à vous diriger vers l'abondance.

Tant et aussi longtemps que vous sèmerez le doute et le découragement, vous récolterez l'échec. Si vous voulez vous éloigner de la pauvreté, vous devez conserver votre esprit dans une condition créative et productive. Pour y parvenir, vous devez entretenir des pensées confiantes, créatrices et optimistes. Le modèle doit précéder la statue. *Il vous faut visualiser un nouveau monde avant que vous puissiez y vivre.*

(Environ un siècle après que ces sages paroles furent rédigées, des hommes ayant à la fois la sagesse et l'expérience, tel Napoleon Hill, disaient à une nouvelle génération que leurs pensées pouvaient les rendre riches. La ligne de démarcation entre l'échec et la réussite est habituellement si ténue que nous nous en apercevons à peine quand nous la dépassons; si ténue que nous sommes souvent sur cette ligne sans même nous en rendre compte. Combien de gens ont renoncé au moment où un effort supplémentaire, un peu plus de patience, les auraient conduits vers la réussite? Tandis que la marée descend, elle remonte déjà. Le seul échec, c'est de ne pas persévérer. Le succès est toujours atteint par ceux-là qui essaient et continuent d'essayer. Et comme Henry Longfellow écrivit un jour: «Quand la marée est à son plus bas, elle commence à monter.» S.P.)

Si tous ceux qui ont le moral à zéro, qui ont dévié de leur route, persuadés qu'ils n'auront plus jamais de perspectives d'avenir, qu'ils ne pourront plus jamais se remettre d'aplomb, si tous ceux-là connaissaient seulement la puissance du revirement de la pensée, ils pourraient aisément obtenir un nouveau départ dans la vie.

«Est-il possible de franchir ce col?» demandait Napoléon aux ingénieurs qu'il avait envoyés explorer le passage du Saint-Bernard. «Peut-être», répondirent-ils en hésitant, «c'est dans la limite des choses possibles.» «Alors, en avant!» s'écria le petit caporal, sans tenir compte des difficultés qui paraissaient insurmontables. L'Angleterre et l'Autriche se moquèrent de son idée de transporter à travers les Alpes, dans un endroit où «aucune roue n'avait jamais roulé, et où il n'était pas possible qu'aucune puisse rouler», une armée de soixante mille hommes, une artillerie lourde, toutes les munitions de guerre et les bagages.

Quand cet acte «impossible» fut accompli, les uns dirent qu'il aurait dû l'être longtemps auparavant. Certains commandants précédents s'excusèrent de ne pas avoir tenté l'aventure, en déclarant qu'ils avaient cru les obstacles insurmontables. Bien des généraux possédaient tout ce qui était nécessaire pour venir à bout de l'entreprise, mais ils manquaient de l'énergie et de la résolution que possédait Napoléon Bonaparte.

L'histoire fournit des milliers d'exemples d'hommes qui ont saisi l'occasion d'accomplir des choses considérées comme impossibles par des gens moins résolus. Il est vrai qu'il n'y eut qu'un Napoléon, mais les «montagnes» qui constituent un défi pour un citoyen moyen d'aujourd'hui ne sont ni aussi élevées ni aussi dangereuses que les sommets franchis par le grand Corse.

N'attendez pas les occasions extraordinaires. Saisissez les occasions tout ordinaires, et faites qu'elles soient grandes!

«Si vous voulez me laisser essayer, je crois que je pourrais faire quelque chose de bien», disait un jeune garçon, employé comme marmiton dans la maison du Signor Faliero. Une nombreuse société avait été invitée à un grand dîner, mais, au moment d'orner la table, le pâtissier chargé de la pièce montée venait tout juste d'annoncer qu'il avait manqué cette pièce.

Le marmiton se présenta devant le maître d'hôtel: «Vous!» s'écria ce dernier étonné, «et qui êtes-vous?

– Je suis Antonio Canova, le petit-fils de Pisano, le sculpteur», répliqua le chétif petit garçon.

– De quoi es-tu capable?» demanda le majordome.

– De vous confectionner quelque chose qui garnira le milieu de la table, si vous voulez me permettre d'essayer.» Le chef, qui était au bout de son rouleau, se décida d'accepter l'offre d'Antonio. Le marmiton demanda du beurre, et sculpta rapidement un lion accroupi que le majordome, plein d'admiration, plaça au milieu de la table.

Le dîner fut annoncé, et les marchands les plus réputés de Venise, ainsi que des princes et des nobles, se précipitèrent dans la salle à manger. Parmi eux se trouvaient d'habiles critiques d'art. Quand leurs yeux tombèrent sur le lion de beurre, ils en oublièrent le dîner, tant fut grande leur admiration pour une œuvre qui révélait un vrai génie. Ils regardèrent attentivement le lion, et demandèrent au Signor Faliero quel grand sculpteur avait pu se décider à faire une œuvre d'art aussi éphémère. Faliero ne sut que répondre; il se renseigna auprès de son majordome, qui amena Antonio et le présenta à la compagnie.

Quand ces hôtes distingués apprirent que le lion avait été fait si rapidement, par un marmiton, ils convertirent le dîner en une fête en son honneur. Le Signor Faliero déclara qu'il paierait tout ce qui serait nécessaire pour que le jeune garçon pût travailler avec les meilleurs maîtres, et il tint parole. Antonio ne fut pas gâté par sa bonne fortune; il resta l'enfant au cœur simple, le garçon sérieux et fidèle qu'il avait toujours essayé d'être lorsqu'il travaillait dans l'échoppe de Pisano. Beaucoup de gens, sans doute, ne savent pas comment Antonio sut saisir l'occasion qui s'offrit à lui, mais tout le monde connaît Canova, l'un des plus grands sculpteurs de son époque.

Les gens faibles attendent l'occasion; les gens forts la font naître.

Les occasions! mais votre vie en est pleine! Chaque leçon, au collège, est une occasion. Chaque heure passée à l'usine ou au bureau offre de nouvelles occasions. Chaque article de journal est une occasion. Chaque client est une occasion. Chaque sermon est une occasion. Chaque transaction commerciale est une occasion – une occasion d'être poli, courtois, honnête et de se faire des amis. Chaque preuve de confiance qu'on vous donne est une splendide occasion. Toute responsabilité confiée à votre force et à votre honneur est sans prix.

Si un esclave noir comme Frederik Douglass, qui ne possédait pas même son corps, a pu s'élever lui-même jusqu'à devenir orateur, éditeur, homme d'État, que ne pourra pas devenir un jeune homme blanc, qui a bien plus d'occasions de se développer que Frederik Douglass?

C'est l'homme paresseux, et non le grand travailleur, qui se plaint constamment qu'il n'a du temps pour rien, et qu'aucune occasion ne s'offre à lui. Cependant, certaines personnes sauront tirer parti de toutes les occasions que négligent les autres, et ils arriveront à faire, en peu de temps, plus de choses que d'autres n'en font pendant toute une vie. Semblables à des abeilles, ils extraient le miel de chaque fleur. Tous ceux qu'ils rencontrent, chaque circonstance de la journée, ajoutent quelque chose à leur savoir ou à leur puissance.

«Il n'y a personne que dame Fortune ne visite au moins une fois dans sa vie», disait un sage auteur, «mais quand elle ne trouve personne pour la recevoir, après être entrée par la porte, elle sort par la fenêtre.»

Le jeune Philip Armour se joignit à la longue caravane des Forty-Niners* et traversa le grand désert

* Surnom donné à ceux qui prirent part à la première ruée vers l'or en 1849 peu après la découverte de l'or fabuleux en Californie.

emportant avec lui, dans un chariot traîné par des mulets, tout ce qu'il possédait. Un dur labeur et des gains dans les mines, soigneusement mis de côté, lui permirent, six ans plus tard, d'entrer dans une entreprise d'entreposage de denrées et de grains à Milwaukee. En neuf ans, il gagna cinq cent mille dollars. Puis il vit une grande occasion pour lui-même, dans l'ordre du général Grant: «Allons tous vers Richmond!»

Un matin donc, en 1864, il alla frapper à la porte de monsieur Plankinton, associé dans cette aventure en qualité d'emballeur de porcs. «Je vais prendre le prochain train pour New York», lui dit-il, «et vendre immédiatement des porcs». Les généraux Ulysses Grant et William Sherman vont obtenir la victoire et le porc descendra à douze dollars le baril.» C'était pour lui l'occasion rêvée. Il alla à New York et offrit de grandes quantités de porcs à quarante dollars le baril. Ses offres furent promptement acceptées. Les habiles spéculateurs de Wall Street se moquèrent du jeune homme de l'Ouest et lui dirent que le porc grimperait à soixante dollars, la guerre n'étant pas près de finir. Philip Armour, cependant, maintint son prix. Le général Grant continua à avancer. La ville de Richmond tomba, le porc tomba avec elle à douze dollars le baril, et Philip Armour gagna ainsi deux millions de dollars!

Des occasions de faire quelque chose? John D. Rockefeller vit sa propre occasion rêvée dans le pétrole. Il s'était rendu compte qu'une grande partie de la population des États-Unis possédait un piètre éclairage à domicile. Le pétrole abondait mais le processus de raffinage était tellement brut que le produit était de qualité inférieure et pas entièrement sécuritaire. C'était l'occasion que monsieur Rockefeller guettait. Il prit Samuel Andrews comme associé; ce dernier avait été concierge dans un atelier d'usinage où les deux hommes avaient déjà travaillé; il commença par la distillation fractionnée d'un seul baril de pétrole en 1870, utilisant un procédé découvert par son associé. Ils produisirent une catégorie de pétrole de qualité supérieure et prospérèrent rapidement. En l'espace de vingt ans, la petite raffinerie qui valait au départ à peine mille dollars, incluant les bâtiments et l'équipement, était devenue la Standard Oil, dont les revenus, en termes de capital, se chiffraient à 90 millions de dollars. Monsieur Rockefeller devient bientôt l'un des hommes les plus riches du monde civilisé.

Êtes-vous prêt à saisir l'occasion?

Nataniel Hawthorne dînait un jour chez Henry Wadsworth Longfellow et avait amené avec lui un ami de Salem. Après le dîner, cet ami dit: «J'ai essayé de persuader monsieur Hawthorne d'écrire une histoire basée sur une légende qui est encore en honneur en Acadie, la légende d'une jeune fille qui, lors de la dispersion des Acadiens, fut séparée de son amoureux, passa sa vie à l'attendre et à le chercher, et finit par le trouver mourant, dans un hôpital, alors que tous deux étaient devenus vieux.» Henry Longfellow s'étonna que la légende n'eut pas tenté Nataniel Hawthorne, et lui dit: «Si vous ne voulez réellement pas en faire un récit, me permettez-vous d'en faire un poème?» Nataniel Hawthorne consentit et promit en outre de ne pas traiter ce sujet en prose avant que monsieur Longfellow n'ait essayé d'en faire un poème. Ce dernier saisit l'occasion et donna au monde *Évangéline, ou l'Exilée d'Acadie.*

Des yeux bien ouverts distingueront des occasions partout, dans votre maison, dans votre cour, dans votre voisinage, dans votre ville; des oreilles bien ouvertes entendront toujours les cris de ceux qui ont besoin d'aide; des cœurs ouverts ne manqueront jamais d'êtres dignes de recevoir ce qu'ils auront à leur donner; des mains ouvertes ne manqueront jamais d'un humble travail.

Chacun a remarqué que, lorsqu'un objet est immergé dans un vase plein d'eau, l'eau s'écoule pardessus les bords; cependant peu de personnes savent que l'objet déplace exactement son volume d'eau. Mais quand Archimède observa ce fait il y découvrit le moyen de trouver le volume des objets, peu importe l'irrégularité de leur forme.

Il n'existait pas un marin, en Europe, qui ne se soit demandé ce qu'il pouvait bien y avoir au-delà de l'océan Atlantique, mais il incombait à Christophe Colomb de s'élancer bravement sur une mer inconnue et de découvrir un nouveau monde.

D'innombrables pommes étaient tombées des arbres, parfois sur la tête d'hommes sans défense, comme pour les engager à penser, mais ce fut Isaac Newton qui le premier découvrit qu'elles tombent sur la terre en vertu de la même loi qui retient les planètes dans leurs orbites et empêche que la vitesse acquise par tous les atomes de l'univers ne les repoussent dans le chaos.

Dès l'époque d'Adam, les éclairs ont ébloui les yeux, et le tonnerre a assourdi les oreilles des hommes, dans le vain espoir de les rendre attentifs à la force terrible de l'électricité; mais les décharges de l'artillerie céleste ne furent perçues qu'avec terreur, jusqu'au moment où Benjamin Franklin, par une simple expérience, prouva que l'éclair n'est que la manifestation d'une force considérable, mais cependant maîtrisable, aussi répandue que l'air et l'eau.

«Quel est son nom?» demandait un visiteur dans un atelier où on lui montrait, parmi plusieurs autres un dieu dont le visage était caché par ses cheveux et qui avait des ailes aux pieds.

– L'Occasion, le dieu Occasion», répondit le sculpteur.

– Pourquoi son visage est-il caché?

– Parce que les hommes le reconnaissent rarement quand il s'approche d'eux.

– Et pourquoi a-t-il des ailes aux pieds?

– Parce qu'il vient rapidement et s'en va plus rapidement encore; et une fois parti, on ne peut plus le rattraper.»

– Le dieu Occasion n'a de cheveux que près du front», dit un auteur latin; «par derrière il est chauve. Si vous le saisissez par devant, vous pouvez le retenir, mais si vous le laissez échapper, Jupiter lui-même ne pourrait le rattraper.»

Ne croyez pas que l'ambition est une qualité dont vous héritez à la naissance, qu'elle n'est pas susceptible d'être améliorée, ou qu'elle s'impose à nous et grandira d'elle-même, tout comme notre taille et la couleur de nos yeux s'imposent à nous. L'ambition requiert de l'éducation et des soins assidus, tout comme l'exige le talent pour la musique ou pour les arts, sinon l'ambition s'éteindra.

Si nous n'essayons pas de réaliser notre ambition, celle-ci ne conservera pas à nos yeux la même acuité et la même précision. Nos facultés s'engourdissent et perdent rapidement leur pouvoir si nous ne les mettons pas à l'épreuve. Comment pourrions-nous nous attendre à ce que notre ambition demeure vive et ardente après des années d'inactivité, d'indolence ou d'indifférence? Si nous permettons constamment que des occasions passent à côté de nous sans que nous fassions la moindre tentative pour les saisir, cette inclination nous engourdira et nous affaiblira de plus en plus, jour après jour.

«Ce dont j'ai le plus besoin», disait Ralph Waldo Emerson, «c'est de quelqu'un pour me pousser à faire ce que je peux accomplir.» *Faire ce que je peux accomplir, voilà mon problème; non pas ce que Napoléon ou Abraham Lincoln pouvaient accomplir, mais ce que je peux accomplir!* Cela fait toute la différence du monde à nos yeux, à savoir si nous donnons le meilleur de nous-même ou le pire, à savoir si nous utilisons dix, quinze, vingt-cinq ou quatre-vingt-dix pour cent de nos capacités.

Nous voyons partout des gens qui ont atteint l'âge mûr et même davantage sans jamais avoir été suffisamment poussés à agir dans le but de saisir une occasion. Ils n'ont développé qu'un petit pourcentage de leurs possibilités de réussite. Ils sont restés en veilleuse jusqu'à aujourd'hui. Ce qu'ils ont de meilleur gît au plus profond d'eux-mêmes car on ne l'a jamais réveillé. Ne vous permettez jamais, jamais, de sombrer dans cette triste condition!

Le malheur est que nous attendons toujours une occasion exceptionnelle d'acquérir des richesses, de la gloire ou de la valeur. Nous voulons passer maîtres avant d'avoir fait un apprentissage, posséder des connaissances sans avoir étudié, et devenir riches sans crédit. Nés dans un temps et dans un pays où les occasions et les connaissances abondent comme jamais auparavant, comment pouvez-vous rester assis les mains croisées, occupés à demander à Dieu Son aide pour un travail en vue duquel Il vous a déjà donné toutes les forces et toutes les facultés nécessaires?

Le monde est plein d'œuvres à faire. La nature humaine est ainsi constituée que souvent un mot plaisant ou une légère assistance peut arrêter un désastre qui menaçait un de nos compagnons et le placer sur le chemin du succès. Nos facultés sont ainsi faites que, dans l'effort honnête, sérieux et persévérant, nous trouvons notre plus grand bien. De nobles exemples nous encouragent à oser et à agir, et chaque moment nous offre de nouvelles occasions.

Du reste, n'attendez pas l'occasion: *créez-la*! Créez-la comme Napoléon le fit dans plus de cent situations «impossibles» ou comme le fit le petit berger Ferguson quand il calcula la distance des étoiles avec une poignée de perles de verre enfilées à une ficelle. Créez-la comme tous les conducteurs d'hommes ont créé eux-mêmes leurs chances de succès. Les occasions en or passent à côté des paresseux, mais les gens industrieux savent convertir les occasions les plus ordinaires en occasions extraordinaires.

(Quand vous déciderez que vous en avez assez pour toujours de votre médiocre existence; que vous ne voulez plus en entendre parler; que vous voulez en effacer toute trace de vos vêtements, de votre apparence, de vos manières, de votre conversation, de vos actes, de votre maison; que vous allez montrer au monde de quoi vous êtes vraiment capable; que vous ne passerez plus jamais pour quelqu'un qui a raté sa vie; que vous allez vous tourner résolument vers de meilleures démarches – une compétence, une autonomie – et que rien sur terre ne pourra venir troubler votre résolution, vous serez étonné de découvrir quel grand pouvoir sera alors entre vos mains, et quel accroissement de confiance en soi, d'assurance et de respect de soi vous récolterez.

Prenez la résolution avec toute la vigueur dont vous êtes capable, d'obtenir votre part dans ce monde rempli de bonnes choses pour tous et chacun, sans blesser ou éloigner les autres. Penez cette décision tandis que vous n'êtes encore qu'au second échelon de votre échelle magique.

L'abondance, la compétence vous étaient destinées de tout temps. C'est un droit que vous avez acquis en naissant. Vous devenez maintenant être bien organisé pour la réussite et conditionné au bonheur. Vous devriez à l'heure actuelle prendre la décision d'atteindre votre propre destinée divine!

Les occasions de réussite sont dans votre propre arrière-cour!

Les occasions de réussite sont dans votre propre arrière-cour!

Les occasions de réussite sont dans votre propre arrière-cour! S.P.)

Chapitre IX

Le troisième échelon de l'échelle de la vie

Au cours de sa carrière hautement acclamée, il y a près d'un siècle, Arnold Bennett a écrit plus de 80 livres, incluant son grand classique *Histoire de vieilles femmes*, de même que de nombreux articles dans des revues, et plusieurs pièces de théâtre. Il vécut une vie si pleine et si heureuse qu'on lui demandait souvent comment il s'organisait pour accomplir tant de choses et trouver quand même le temps de s'adonner à autant d'autres activités comme la peinture, la musique et le théâtre. En guise de réponse, il écrivit un petit livre, *How to Live on 24 Hours a Day* (Comment vivre avec 24 heures par jour), publié en 1907, contenant ses sages suggestions afin d'utiliser au mieux le plus précieux atout que nous possédons tous – le temps – pour qu'ainsi nous attirions sur nous-mêmes le plus grand bien possible.

Voici l'un des plus importants échelons de votre échelle de la vie. Il vous faut apprendre à investir sagement votre temps sinon vous ne serez jamais capable d'atteindre, pas même de loin, votre plein potentiel. Souvenez-vous des sages paroles d'Horace Mann: «Perdues: quelque part entre le lever et le coucher du soleil, deux heures en or, chacune ornée de soixante minutes en diamants. On n'offre aucune récompense car ces heures se sont enfuies pour toujours.» S.P.)

On a dit que le temps était de l'argent. Ce proverbe minimise les faits. Le temps est habituellement plus important que l'argent. Et même si vous aviez la richesse de la royauté, vous ne pourriez pas vous procurer une minute de plus que moi-même, ou que le chat couché au coin du feu.

Les philosophes ont expliqué l'espace. Ils n'ont pas expliqué le temps. Et pourtant, le temps est l'inexplicable matière première de tout. Avec lui, tout est possible; sans lui, rien n'est réalisable. L'approvisionnement en temps constitue véritablement un miracle quotidien, une affaire des plus stupéfiantes quand on l'examine de plus près. Vous vous éveillez le matin, et voilà! votre bourse est remplie comme par enchantement de 24 heures de cette étoffe non confectionnée de l'univers de votre vie! Elles sont à vous. Elles sont la plus précieuse de vos possessions. De plus, personne ne peut vous les enlever. Il est impossible de les dérober. *Et personne n'en a reçu plus ou moins que vous en avez reçu!*

C'est ce qu'on pourrait appeler une démocratie idéale! Dans le royaume du temps, il n'existe pas d'aristocratie de la richesse et de l'intellect. Le génie n'a jamais été récompensé ne serait-ce que par une heure additionnelle par jour. Et il n'y a pas de punition aussi. Gaspillez infiniment cette précieuse ressource autant que vous le voudrez et on renouvellera quand même votre réserve de temps. Aucun mystérieux pouvoir ne vous dira: «Tu es un fou. Tu n'es pas digne du temps et on va interrompre ton temps au compteur.» De plus, vous ne pouvez pas retirer du temps dans l'avenir. Il est impossible de s'endetter! Vous ne pouvez pas gaspiller demain; on le garde en réserve pour vous. Vous ne pouvez pas gaspiller l'heure qui suit; on la garde précieusement pour vous.

Je disais que l'approvisionnement en temps était un vrai miracle. Ne l'est-il pas?

Il vous faut vivre avec ces 24 heures de temps quotidien.

À l'intérieur de ce laps de temps, il vous faut faire graviter la santé, le plaisir, l'argent, la satisfaction, le respect, et l'évolution de votre âme immortelle. Il est étrange que les journaux et les revues en vogue, avec l'esprit d'initiative qu'on leur connaît, ne soient pas remplis de suggestions semblables «Comment vivre avec un certain revenu de temps», plutôt que «Comment vivre avec un certain revenu d'argent»! L'argent est de loin plus roturier que le temps!»

Si quelqu'un ne peut pas trouver le moyen de vivre grâce à un certain revenu d'argent, il s'arrange pour en gagner davantage, ou bien il emprunte, ou peut-être même volera-t-il. Mais si quelqu'un ne peut pas faire en sorte qu'un revenu de temps quotidien, de 24 heures, suffise à couvrir tous les articles appropriés correspondant à la dépense de temps, celui-là fait de sa vie un gâchis.

Qui donc parmi nous vit réellement avec 24 heures par jour? Et quand je dis «vit» je ne veux pas dire «existe», ni «s'en sortir tant bien que mal». Qui de nous n'éprouve pas l'impression déconcertante selon laquelle les «grands services de dépenses» de sa vie quotidienne ne sont pas gérés comme ils devraient l'être? Qui de nous n'a jamais dit, année après année: «Je m'occuperai de ceci ou de cela quand j'aurai un peu plus de temps libre?»

Nous ne disposerons jamais de plus de temps. Nous avons, et nous avons toujours eu, tout le temps disponible. C'est la prise de conscience de cette profonde vérité souvent oubliée, laquelle, soit dit en passant, n'est pas une de mes trouvailles, qui m'a amené à examiner de quelle façon nous dépensons notre lot de temps quotidien.

(Les ratés semblent toujours agir comme s'ils avaient mille ans à vivre. Ils boivent trop, ils fêtent trop, dorment trop, jouent trop, et nous assurent constamment qu'ils vont remplir toutes leurs tâches demain. Un calendrier avec le mot «demain» inscrit dessus, cela n'existe pas. Sur son lit de mort, on entendit la première reine Elizabeth murmurer: «Tout ce que je possède pour un seul autre instant de temps.» S.P.)

D'innombrables âmes sont hantées, douloureusement, par le sentiment que les années passent, passent, et passent encore, et qu'elles n'ont pas été capables d'apprendre à faire fonctionner adéquatement leurs vies. Si nous analysons ce sentiment, nous nous apercevrons que c'est avant tout un sentiment de contrainte, d'attente, d'expectative et d'aspiration. C'est la source d'un malaise continuel. Si nous l'analysons davantage, en nous-mêmes, nous verrons que ce sentiment provient de l'idée fixe que nous devrions faire autre chose en plus de ce que nous sommes moralement et loyalement obligés d'accomplir. Nous sommes tenus, par divers codes écrits ou tacitement admis, d'assurer à nos familles et à nous-mêmes la santé et le confort, de payer nos dettes, d'épargner, d'accroître notre prospérité en augmentant nos compétences. Une tâche déjà suffisamment difficile! Une tâche que bien peu de gens parmi nous réussissent à accomplir! Une tâche qui dépasse souvent nos compétences! Alors même que nous prenons conscience que cette tâche dépasse nos compétences, que notre potentiel ne peut pas en venir à bout, nous avons le sentiment que nous serions moins mécontents si nous pouvions offrir à notre potentiel, déjà surtaxé, quelque chose de plus à accomplir.

Voilà simplement les faits. Le désir d'accomplir des choses en dehors de leur horaire régulier est partagé par tous les êtres humains qui, avec l'évolution, se sont élevés au-delà d'un certain niveau de compétences.

Tant et aussi longtemps qu'un effort ne sera pas fait pour satisfaire leur désir, ce sentiment désagréable, qui consiste à attendre que débute quelque chose qui n'a pas encore commencé, demeurera et troublera la paix de leur âme. On a donné plusieurs noms à ce désir. C'est une manifestation du besoin universel d'en savoir plus, d'en connaître davantage. Et ce besoin est tellement puissant que plusieurs personnes qui ont consacré leurs vies à acquérir systématiquement des connaissances ont été poussées, par ce besoin, à outrepasser les limites de leur horaire dans leur quête de connaissances additionnelles.

À présent que j'ai réussi, si tel est le cas, à vous convaincre de vous avouer à vous-même que vous êtes constamment hanté par une insatisfaction réprimée concernant l'organisation de votre vie quotidienne; et que la cause principale de cette insatisfaction fâcheuse est le sentiment que vous laissez en plan quelque chose que vous aimeriez faire, et que vous espérez toujours pouvoir accomplir quand vous aurez «plus de temps»; et maintenant que j'ai attiré votre attention sur l'éclatante et éblouissante vérité selon laquelle vous n'aurez jamais «plus de temps», étant donné que vous disposez déjà de tout le temps disponible – vous vous attendez peut-être à ce que je vous livre un merveilleux secret grâce auquel vous pourriez, dans tous les cas, atteindre le modèle idéal en ce qui concerne la parfaite organisation de votre journée, et par lequel, vous pourriez, par conséquent, vous débarrasser de cette désagréable contrariété quotidienne qui vous hante et que vous entretenez concernant ces choses à faire que vous laissez en suspens?

Je n'ai pas découvert ce merveilleux secret. Je ne m'attends pas non plus à le découvrir, ni à ce que quelqu'un d'autre y parvienne un jour. C'est un secret «introuvable». Quand vous vous êtes mis à lire ce que j'écris, vous avez peut-être éprouvé un regain d'espoir au fond de votre poitrine. Il est fort possible que vous vous soyez dit à vous-même: « *Cet homme va m'enseigner un moyen facile et agréable d'accomplir ce que je veux faire depuis si longtemps en vain.* » Hélas! non. Le fait est qu'il n'existe pas de solution de facilité, pas de voie royale. Le chemin vers le paradis est extrêmement difficile et rocailleux, et pis encore, vous ne l'atteignez jamais tout à fait au bout du compte.

Le plus important préambule en ce qui a trait à la tâche d'organiser sa propre vie, afin que l'on puisse vivre pleinement et commodément à l'intérieur de son propre budget de temps quotidien de 24 heures, c'est de prendre conscience avec calme de la difficulté extrême de cette tâche, des sacrifices et des efforts incessants qu'elle requiert. Je n'insisterai jamais assez sur ce point.

Si vous vous imaginez que vous serez capable d'atteindre votre idéal en planifiant naïvement votre emploi du temps avec un stylo et une feuille de papier, vous feriez mieux d'abandonner immédiatement tout espoir. Si vous n'êtes pas prêt à affronter le découragement et les désillusions, si vous êtes incapable de vous accommmoder d'obtenir un mince résultat après un grand effort, alors, n'entreprenez pas cette tâche. Allongez-vous de nouveau et continuez ce petit somme agité que vous appelez votre existence.

Cela est bien triste, n'est-ce pas, très déprimant et affligeant? Et pourtant je pense que c'est plutôt excellent, aussi, cette nécessité de raffermir sa volonté avec concentration avant de pouvoir accomplir toute chose qui en vaut la peine. Personnellement, je suis tout à fait d'accord. Je crois que cette nécessité est la chose fondamentale qui me différencie du chat couché au coin du feu.

«Eh bien», dites-vous, «supposez que je suis fortifié et raffermi en vue de la bataille. Supposez aussi que j'ai soigneusement soupesé et compris vos importantes remarques. Par où vais-je commencer?» Cher monsieur, ou chère dame, commencez tout simplement. Il n'existe pas de méthode magique pour commencer quelque chose. Si un homme, sur le bord d'une piscine, voulant sauter dans l'eau froide vous demandait: «Comment dois-je amorcer mon saut?» vous répondriez simplement: «Sautez! Gardez votre sang-froid, et sautez.»

Comme je l'ai dit précédemment, ce qu'il y a de plus extraordinaire dans l'approvisionnement continu de temps, c'est que vous ne pouvez pas le gaspiller à l'avance. L'année prochaine, le jour prochain, l'heure qui va suivre vous attendent, aussi parfaits, aussi intacts, que si vous n'aviez jamais perdu ou mal employé une seul instant dans toute votre vie. Vous pouvez choisir de changer de conduite à toutes les heures si vous le voulez. Il ne sert à rien d'attendre la semaine prochaine ou même jusqu'à demain. Vous pouvez vous imaginer que l'eau sera plus chaude la semaine prochaine. Elle ne le sera pas, elle sera plus froide.

Avant que vous commenciez, laissez-moi vous murmurer à l'oreille quelques mots d'avertissement. Prenez garde de ne pas entreprendre trop de choses au début. Contentez-vous d'en entamer juste assez. Tenez compte des accidents et prenez en considération la nature humaine, tout particulièrement la vôtre.

Un échec ou deux, en soi, importerait peu si cela n'encourait pas une perte du respect de soi et de la confiance en soi. Mais tout comme rien ne réussit autant que le succès, rien n'échoue autant que l'échec. La plupart des gens ruinés le sont pour avoir entrepris trop de choses. Par conséquent, en donnant le coup d'envoi à cette immense entreprise qui consiste à vivre pleinement et commodément dans les limites étroites de 24 heures par jour, évitons à n'importe quel prix le risque d'un échec prématuré. Je ne suis pas d'accord que dans ce domaine, de toute façon, un glorieux échec est préférable à un petit succès. Je suis de tout cœur avec le petit succès. Un échec glorieux ne mène à rien; un petit succès peut mener à une réussite plus grande.

Commençons donc à examiner comment organiser son temps au cours d'une journée. Vous dites que votre journée est déjà déborbante d'activités. De quelle manière? Combien de temps consacrez-vous réellement à gagner votre vie? Peut-être sept heures, en moyenne? Et à dormir, sept heures également? Je vais me montrer généreux et ajouter deux autres heures. Je vous mets au défi, à brûle-pourpoint, de me rendre compte des huit heures qui restent!

Dans le but de s'efforcer de résoudre tout de suite le problème de l'emploi du temps, je dois choisir un exemple individuel et en faire l'examen. Je dois me pencher seulement sur cet exemple et ce dernier ne peut pas être considéré comme l'exemple type car une telle chose n'existe pas, de même qu'il n'existe pas de personne moyenne. Chaque être est spécial.

Cependant, si je prends l'exemple d'une personne qui travaille dans un bureau, dont les heures de travail sont de neuf à dix-sept heures, et qui passe cinquante minutes matin et soir à voyager entre la maison et le bureau, je me rapproche ainsi de la moyenne autant que les faits le permettent. Il y a assurément ceux-là qui doivent travailler plus d'heures pour gagner leur vie, mais il y en a d'autres qui travaillent moins longtemps. Heureusement, l'aspect financier de l'existence n'est d'aucun intérêt ici. Dans cette optique, le commis d'épicerie est aussi bien nanti que le millionnaire.

Dans ces circonstances, la grande et profonde erreur que mon exemple typique commet, relativement à sa journée, en est une d'attitude générale, c'est une erreur qui diminue et affaiblit les deux tiers de ses énergies et de ses intérêts. Dans la plupart des cas, mon exemple typique n'éprouve pas particulièrement de passion pour son travail; au mieux, il ne le déteste pas. Il entreprend à contrecœur les tâches quotidiennes reliées à son poste aussi tard que possible, et il les abandonne avec joie le plus tôt possible. Quand il est en train de travailler, son «moteur interne» fonctionne rarement au maximum de ses chevaux-vapeur.

Et pourtant, malgré tout cela, il persiste à considérer que les heures qui se situent entre neuf et dix-sept heures constituent pour lui «sa journée», et que les neuf heures qui les précèdent et les sept qui les suivent ne sont en fait qu'un prologue et un épilogue. Une telle attitude, bien qu'elle soit inconsciente, supprime naturellement son intérêt pour les 16 heures restantes. Il en résulte que même s'il ne gaspille pas ces heures-là, elles ne comptent pas vraiment pour lui; il considère que ce sont simplement des heures moins importantes.

(Cet exemple aurait pu tout aussi bien représenter une femme plutôt qu'un homme, avec les mêmes résultats. S.P.)

Cette attitude générale est absolument illogique et malsaine, vu qu'elle accorde officiellement une importance capitale à une période de temps et à un ensemble d'activités que nous voulons voir se terminer au plus vite. Si nous soumettons les deux tiers de notre existence au troisième tiers – pour lequel nous reconnaissons n'éprouver aucun enthousiasme – comment pouvons-nous espérer vivre pleinement et complètement? Nous en sommes incapables.

Cela est d'une extrême importance! Si nous désirons vivre pleinement et complètement, nous devons, dans notre esprit, organiser une autre journée à l'intérieur de la même journée. Et cette journée «interne» doit débuter à 17 heures et se terminer à 9 heures du matin. C'est une journée de 16 heures et pendant ces seize heures nous n'avons rien d'autre à faire qu'à développer notre corps, cultiver notre âme et l'amitié de nos semblables. Au cours de ces 16 heures, nous sommes libres; nous ne sommes plus un salarié; nous ne sommes pas préoccupés par les responsabilités monétaires. Voilà l'attitude que nous devons adopter. Et notre attitude est des plus importantes. Notre réussite dans la vie dépend d'elle.

Quoi? Vous dites que le fait d'investir toute votre énergie dans ces 16 heures atténuera la valeur des 8 heures passées au travail? Pas du tout. Au contraire, cela augmentera assurément la valeur des 8 heures consacrées au travail. Une des choses fondamentales, que ma personne typique doit apprendre, c'est que les facultés mentales peuvent aisément gérer, d'une manière assidue, la suite ininterrompue d'une activité; contrairement à un bras ou à une jambe, elles ne ressentent pas la fatigue. Du changement, voilà ce que nos facultés mentales veulent, et non pas prendre de repos, sauf, bien sûr, pendant le sommeil.

Étudions ensemble votre journée typique. Afin de vous rendre justice, je dois dire que vous perdez très peu de temps avant de quitter la maison à 8 h 10 le matin. Dans beaucoup trop de foyers, notre héros ou notre héroïne se lève à 8 heures, déjeune entre 8 h 07 et 8 h 09 ½, puis, il ou elle déguerpit. Mais aussitôt que nous verrouillons la porte d'entrée, nos facultés mentales, qui sont inépuisables, tournent soudainement au ralenti. Nous nous rendons au travail dans une sorte de «coma mental», affrontant la circulation et le genre humain. Vous arrivez finalement à votre bureau. Je vous y laisse jusqu'à 17 heures. Je sais que vous disposez d'au moins une heure, au milieu de la journée, dont moins de la moitié de ce temps est consacré à votre repas. Mais je vous laisse libre d'employer cette période de temps comme vous l'entendez.

Je vous retrouve de nouveau quand vous quittez votre travail. Vous êtes pâle et fatigué. Pendant le trajet de retour à la maison, votre sentiment de fatigue s'est amplifié progressivement. Ce sentiment est suspendu lourdement au-dessus de la banlieue, tel un nuage sombre et mélancolique. Vous ne mangez pas immédiatement en arrivant à la maison. Mais environ une heure plus tard, vous vous sentez capable de vous asseoir à la table et d'avaler quelques aliments. Et vous le faites. Puis, vous rencontrez des amis, vous jouez aux cartes, vous vous passionnez soudainement pour un livre, vous constatez que la vieillesse s'approche furtivement, vous faites une promenade, vous touchez du piano.

(Je suis incapable d'imaginer quelle serait, aujourd'hui, la longueur de la liste de monsieur Bennett en ce qui a trait aux actes accomplis en pure perte de temps. Car il y a, de nos jours, pour nous séduire, tous ces nouveaux attraits comme la télévision et les voyages sur Internet! S.P.)

Finalement, il est maintenant 23 h 15, le temps de penser à aller se coucher! Vous vous glissez enfin sous les couvertures, exténué par votre journée de travail. Six heures, probablement davantage, se sont volatilisées depuis que vous avez quitté le travail – elles ont disparu comme un rêve, comme par magie, de façon inexplicable!

Cela constitue un cas plutôt simple. Mais vous dites: «Vous pouvez bien affirmer tout ça, cependant, il arrive qu'une personne soit fatiguée, qu'elle veuille rencontrer des amis de temps en temps. Elle ne peut pas toujours être à courir.» Exactement! Mais lorsque vous vous préparez pour aller au théâtre, qu'arrive-t-il? Vous vous donnez beaucoup de mal afin d'être resplendissant dans de magnifiques vêtements, puis, vous partez. Les amis et la fatigue se sont envolés, et la soirée vous a semblé d'une longueur exquise. Lorsque vous avez une activité précise, planifiée pour la soirée, et que vous l'attendez avec plaisir – une activité qui mettra à profit toute votre énergie – pouvez-vous nier que le fait de penser à cette activité ajoute un éclat et une vitalité plus intenses à toute cette journée-là?

Je suggère qu'à 18 heures vous reconnaissiez simplement les faits en admettant que vous n'êtes pas fatigué, car vous ne l'êtes pas, autant que je sache, et d'organiser votre soirée de telle sorte qu'elle ne soit pas interrompue au beau milieu par un repas. Dînez plus tôt dans la soirée. Ce faisant vous obtiendrez au moins trois heures de temps libre. Je ne suggère pas que vous devriez employer trois heures, chaque soir de votre vie, à dépenser la totalité de votre énergie mentale. Mais je suggère, pour commencer, que vous employiez une heure et demie de votre temps, une soirée sur deux, à cultiver grandement votre esprit.

Il vous restera encore trois soirées à consacrer aux amis, au bridge, au tennis, aux travaux de ménage, à la lecture, à la tuyauterie, au jardinage, à vous occuper de bricolage, et de concours en vue de décrocher un prix. Vous disposerez également encore de cette splendide richesse: 69 heures devant vous entre

17 heures le vendredi et 9 heures le lundi matin. Si vous persévérez, vous voudrez bientôt passer quatre soirées, et peut-être cinq, à vous donner constamment la peine de vivre pleinement. Et vous perdrez l'habitude de vous marmonner à vous-même vers 23 h 15 chaque soir: «C'est le temps de penser à aller se coucher.» La personne qui pense à aller se coucher 40 minutes avant d'ouvrir la porte de sa chambre, cette personne-là s'ennuie; en d'autres mots, elle ne vit pas vraiment.

Mais n'oubliez pas dès le début que ces 90 minutes en soirée, trois fois par semaine, doivent être considérées comme les plus importantes parmi les 10 080 minutes de la semaine. Et, une fois que vous aurez décidé d'accomplir une certaine tâche, terminez-la coûte que coûte, malgré son caractère ennuyeux et assommant. Le fait d'avoir mené à bien un travail ennuyeux augmente considérablement notre confiance en soi.

Finalement, dans le choix de vos occupations, pendant ces heures de la soirée, ne vous laissez guider que par vos goûts et vos penchants naturels. C'est une excellente chose d'être une encyclopédie ambulante de philosophie, mais s'il se trouve que vous n'aimez pas du tout la philosophie, et que vous avez un penchant pour l'histoire naturelle des cris de la rue, il est beaucoup mieux de laisser tomber la philosophie et d'éprouver de la sympathie pour les cris de la rue.

(Prenez le temps, chaque jour, d'être à la recherche des occasions qui se présenteront à l'endroit même où vous vous trouverez, et savourez les miracles qui surviendront bientôt dans votre vie! S.P.)

Chapitre X

Le quatrième échelon de l'échelle de la vie

Plusieurs décennies avant que Norman Vincent Peale parle et écrive au sujet du «pouvoir de la pensée positive» et que W. Clement Stone vante les bienfaits d'un «état d'esprit positif», un homme très doué, nommé Albert Lewis Pelton, enseignait à la nation, dans un livre intitulé *The Creed of the Conquering Chief* (Le Credo du chef conquérant), comment faire face à l'échec et parvenir à une réussite renversante grâce à nos facultés intellectuelles.

Dans son minuscule livre d'une grande puissance, monsieur Lewis Pelton a expliqué avec soin un code de conduite et de réflexion, fondé sur la loi naturelle, indispensable à celui qui veut s'élever au-dessus de la multitude et atteindre ce haut niveau de réussite propre à tous les leaders ou les «chefs».

Réfléchissez bien et longuement aux sages suggestions qui vont suivre. Apprenez à les mettre en pratique au cours de vos activités quotidiennes, et vous atteindrez des objectifs que vous n'auriez jamais cru possible. S.P.)

Pendant plusieurs années, je fus un chercheur dans le domaine de la psychologie – l'étude de l'esprit humain. Notre esprit comporte deux niveaux, l'esprit conscient et le subconscient. Cette vie de l'esprit dont nous avons connaissance, au cours de nos tâches quotidiennes, est en fait la phase consciente. Cependant, il existe au plus profond de nous une vie mentale débordante dont nous ne sommes pas conscients, le domaine du subconscient, renfermant un puissant réservoir d'énergie de la pensée.

Ce réservoir spécial reçoit constamment de l'esprit conscient des réserves de matières à penser, qu'il emmagasine, fusionne, amalgame, et décuple en une masse potentielle d'énergie pour ceux-là qui connaissent le secret d'exploiter cette puissante ressource.

Prenez bonne note que ce message exceptionnel s'adresse à vous si vous éprouvez un brûlant désir d'améliorer vos conditions de vie. Je vous incite à examiner courageusement ce haut lieu intérieur où vous gardez précieusement l'ambition de vos ambitions – ce secret bien gardé qui n'est rien de moins que votre désir de réussir, d'être suprême dans vos efforts quotidiens. En résumé, c'est vous-même qui envisagez l'urgence de la conquête.

Accompagnez-moi avec l'ouverture d'esprit d'un chercheur. Soyez on ne peut plus attentif à mes mots. Je vais vous parler du «Credo du chef conquérant».

Il n'y a rien d'original ou de neuf dans l'idée de conquête. À partir du moment où vous faites appel pour la première fois à vos pouvoirs vitaux, à cet instant même où vous cherchez votre respiration à la naissance, et pendant des années, jusqu'au jour où de nouveau vous cherchez votre respiration avant de passer dans le prochain état d'être, vous faites face à cette nécessité continuelle de conquête. Cette dernière s'avère instinctive et incessante.

Avant d'aller plus loin, il est important que vous ayez une bonne compréhension de la signification exacte de ce sujet. Gardez à l'esprit les définitions suivantes:

Credo: un résumé de ce que l'on croit.

Conquérant: l'acte de maîtriser ou de surmonter, grâce aux facultés intellectuelles, dans le but d'atteindre le succès.

Chef: un être véritablement couronné de succès, dont les qualités ou les entreprises ont un rôle important.

Le Credo du chef conquérant, par conséquent, est une recherche sur l'art d'atteindre le succès grâce à nos facultés intellectuelles, et de remporter la «grande victoire», avec l'aide de privilèges précis et importants du comportement humain, jusqu'à ce qu'un individu devienne un leader, un chef.

Le prix à payer par tout chef conquérant pour arriver à un rang éminent est l'envie, la jalousie, et les attaques de la populace. Cela demande un esprit autoritaire, du sang-froid et du savoir-faire pour se maintenir au premier rang.

Peu de gens parviennent à conserver la résistance nécessaire qu'exige la position périlleuse du leadership et de la réussite. C'est le grand art de la conquête. Laissez-moi vous guider, mais si vous acceptez de me suivre, vous devez avoir l'esprit ouvert. Prenez la résolution de ne pas vous laisser influencer par les sentiments, les sensations, les conjectures, mais cherchez toujours à découvrir la loi sous-jacente et conformez-vous-y.

L'humanité existe depuis plusieurs milliers d'années mais elle n'a jamais réussi à aller à l'encontre de l'action de la loi naturelle. Pour atteindre le succès et devenir un chef conquérant, vous devez prendre conscience qu'il existe une règle naturelle d'action, une cause précise, précédant chaque résultat recherché. Vous savez que si vous tournez l'aiguille de changement de voie d'une certaine façon, cela aiguillera le rapide venant en sens inverse sur une voie d'évitement et le détruira. Vous savez très bien que si vous mettez votre doigt dans le feu, vous vous brûlerez. Vous savez également que si vous sautez en bas d'un édifice imposant, vous vous fracasserez les os.

Il existe des lois mécaniques et des lois physiques. Elles ont toujours existé. L'humanité apprend petit à petit ce qu'elles sont, puis, elles les utilisent pour faciliter la vie. La possibilité de la télégraphie sans fil existait il y a dix mille ans, comme elle existe maintenant, mais nous n'en connaissions pas encore la loi. Nous ne savions pas non plus comment l'utiliser pour obtenir des résultats productifs.

Je voudrais que vous considériez cette analogie de la cause et de l'effet – comme cela s'applique au *Credo du chef conquérant* – à votre réussite en général.

En ce moment même vous êtes aux prises avec des problèmes que vous voulez résoudre à votre plus grand avantage. Vous voulez le succès. Vous voulez des compétences. Vous voulez de l'argent. Vous voulez avoir de l'influence. Vous voulez une promotion. Vous voulez mille et une choses. Si vous voulez commencer, aujourd'hui, à chercher, à observer, à expérimenter, à analyser, et à vous efforcer de découvrir quelle est la loi qui vous rapportera les résultats que vous escomptez, vous pourrez à coup sûr trouver cette loi. Mettez-la en vigueur et la victoire sera vôtre.

Je ne peux pas entrer dans les détails concernant l'utilisation précise que vous souhaiteriez faire de cette loi. Je peux seulement vous en fournir le principe. Il appartient à vous, selon votre propre façon personnelle, de découvrir les détails et de les mettre en œuvre. Connaître la méthode scientifique de réflexion et d'utilisation de la loi naturelle est essentiel pour atteindre à la réussite.

Avant l'avènement des locomotives à vapeur, des moyens de transport électriques, des machines volantes, des automobiles et des paquebots, la personne moyenne était supposée être au courant des conditions existant à environ 25 kilomètres de chez elle. Tenez compte de mes mots et bientôt vous serez libéré de cette étroitesse d'esprit du 25 kilomètres.

Exigez le rayon d'action de 1 600 kilomètres qui est en fait celui de l'esprit ouvert.

Saisissez bien ce fait important: vous avez dans votre caractère, en ce moment même, chacune des qualités et des traits qu'un grand personnage possède. Le degré auquel vous parviendrez à développer et à mettre en pratique ces forces dépendra dans une très large mesure de vous-même et des choix que vous ferez.

N'oubliez pas que le fait de défaillir, d'hésiter, de vous dérober vis-à-vis vos projets – d'abandonner – de fléchir et de baisser pavillon avec indolence, est synonyme de destruction de ce pouvoir de conquête à l'intérieur de vous. Échafaudez de grands projets et allez toujours de l'avant pour les réaliser. Toutefois, attaquez-vous pour commencer à des projets qui se situent dans les limites de votre pouvoir de réalisation. Entreprenez-les. Venez-en à bout. Quand vous aurez grimpé un échelon, affrontez peu à peu des montées plus raides. Attaquez-vous à une grande tâche. Allez vers le haut. Dominez. Conquérez, jusqu'à ce que vous atteigniez et maîtrisiez les grands projets.

Vous êtes en quête du pouvoir pendant toute la journée. Vous le voulez pour réussir; vous désirez le pouvoir pour accomplir des choses et pour relever un défi; vous convoitez le pouvoir pour influer sur les autres; vous faites des efforts pour obtenir le pouvoir afin de vous élever au-dessus des banalités de la vie – pour être un leader. C'est ici que je veux introduire comme suit un autre élément de notre credo:

Tout le pouvoir que vous pourriez utiliser existe dès maintenant et n'attend que votre intelligente maîtrise.

Reconnaître ces forces maintenant présentes s'avère très difficile pour la grande majorité des hommes et des femmes. Il est tellement facile, tellement séduisant, tellement enchanteur de laisser vagabonder son esprit dans les champs élyséens des rêves, de l'idéalisme – de fermer nos yeux sur la vraie réalité – sur les conditions dans lesquelles nous vivons vraiment. Nous pouvons nous enfermer nous-même dans un placard et jurer que le soleil ne brille pas. Et pourtant il brille quand même.

Nous, les êtres humains, ne sommes pas égaux, nous ne l'avons jamais été, et ne le serons jamais. Tant et aussi longtemps que l'ambition entrera dans la démarche d'une personne, et que le libre arbitre existera, il y aura des leaders et des partisans. Il y aura les grands et les petits. Le socialisme, les utopies, et tous ces autres projets pour nous rendre tous égaux ne résisteront pas à l'épreuve du temps. Supposons que deux hommes sont sur un pied d'égalité quant aux heures qui leur sont accordées pour une nuit de sommeil, et que l'un se lève à 6 heures tandis que l'autre dort jusqu'à 9 heures le matin suivant – que devient alors votre nivellement par la base, l'égalité de tous? La nature assure le progrès, non pas en réduisant tous et chacun à un même dénominateur commun, mais en encourageant et en conservant le meilleur.

On obtient un chrysanthème géant en taillant de la plante tous les autres boutons et pousses, et en irriguant toute la force vitale de la plante, afin qu'elle devienne la splendide fleur que l'on connaît.

Je crois que cela s'applique également aux individus. Je pense qu'il faut écarter les rustres et les personnes chétives qui nous environnent, et le matériel sans valeur. Visez plus haut que les autres. Démarquez-vous de la foule! Voilà la loi du chef conquérant.

(Vous êtes-vous déjà tenu debout devant le miroir de votre salle de bains en vous parlant à vous-même? Considérez que les mots que vous êtes en train de lire sont les conseils qui vous sont offerts par cette image dans le miroir. Votre progrès en tant qu'être humain est toujours une question d'épanouissement intérieur. La vie circule de l'intérieur vers l'extérieur. Le germe ou la vitalité se trouve toujours au centre et non à la surface. La croissance de l'arbre ou de la plante, de l'animal ou du fruit, ne consiste pas à ajouter quelque chose de l'extérieur, mais en un approvisionnement venant de l'intérieur. Vous commencez maintenant à comprendre le puissant message contenu sur cet échelon de votre échelle, de même que vous prenez peu à peu conscience que vous déterminerez votre propre position dans la vie selon la somme d'efforts intelligents que vous déploierez. S. P.)

La vie personnelle s'est améliorée à travers les âges, acquérant sans cesse davantage de contrôle et augmentant l'accessibilité de l'être humain à une sphère élargie de connaissances approfondies. Cela se produisit en tout premier lieu relativement à d'autres créatures, puis ce furent les éléments; vinrent ensuite les voyages et la navigation – la traversée d'un continent – la transmission de messages avec ou sans raccordements mécaniques; la conquête de l'air, etc.

À présent, il reste encore un autre objectif à atteindre – la transmission de la pensée d'un esprit à un autre, sans aucun agent physique intermédiaire. Nous vivons maintenant dans l'âge d'or de l'esprit – une ère où les forces mentales règnent en maître absolu.

Ceux qui ont beaucoup de succès aujourd'hui – les chefs conquérants des temps modernes – sont ceux-là qui possèdent un grand pouvoir mental. À partir de cette constatation, nous pouvons comme suit établir une règle brève pour notre credo:

Le pouvoir mental est aujourd'hui l'unique mesure de la maîtrise. Décidez que votre propre intelligence se consacrera à travailler pour vous de toute sa puissance.

Faites toujours votre possible pour être plus grand que vous êtes. Vous devez vous surpasser vous-même. Dans chacune de vos actions, de vos épreuves, de vos confrontations, de vos réflexions successives, essayez de vous montrer plus grand que dans celles qui ont précédé. Vous êtes ce que vous êtes à l'instant présent, mais dans une heure vous devez être davantage que ce que vous êtes maintenant. Dans chaque mesure que vous prenez, déployez davantage de pouvoir afin de vous surpasser vous-même.

Vous et moi sommes des architectes des minutes. Nous nous construisons nous-même chaque instant.

Ce que vous êtes à cette minute précise, c'est le résultat de ce que vous bâtissiez au cours des milliers de minutes qui se sont déjà écoulées. Ce que vous serez dans une minute dépend de ce que vous êtes maintenant et de ce que vous exigez mentalement que cet instant présent ajoute à votre vie. À chaque rotation complète de la trotteuse de l'horloge, est-ce que vous vous construisez vous-même à nouveau? Est-ce que vous changez? faites-vous des modifications? des corrections? refaites-vous des choses? est-ce que vous grandissez?

Aussi sûrement qu'un pilote de vaisseau tourne délibérément son gouvernail dans un sens, changeant ainsi la direction de son énorme navire vers l'est; ou bien tourne-t-il le gouvernail dans l'autre sens et son vaisseau se dirige alors vers le soleil couchant; puis il poursuit sa route, choisit et atteint finalement son port si son pilotage s'avère adéquat – *vous aussi pouvez délibérément diriger votre propre route vers n'importe quel objectif.*

Je le répète: Vous êtes le produit des minutes. Chaque minute représente une occasion de construire, de croissance, de progrès, de profit, de suprématie et de *conquête.*

Tout cela vous incombe.

Ne perdez pas de vue les minutes.

Ce sont les minutes qui font l'homme ou la femme.

J'ai remarqué, au cours de toute une vie de recherches, que nous pouvons tous être classés en trois catégories principales.

1. Les gens dotés de *volonté* (les leaders).
2. Les gens qui ont le *désir* (dont les intentions sont bonnes mais qui échouent à déployer la dominance et les actions nécessaires pour l'emporter. Ce sont ceux-là qui souhaitent plutôt que d'exiger).
3. Les hommes et les femmes de *destinée* (qui abandonnent toute la gloire de s'accomplir sur le plan humain car ils affirment «que tout cela ne sert à rien – que les événements ne croiseront jamais leur route». Cette remarque est exacte. Les événements ne croiseront assurément pas leur route mais on peut se les *approprier*, et c'est ce que font les gens dotés de volonté).

Le chef conquérant appartient naturellement à la première catégorie: celle d'une personnalité dynamique qui affirme sa propre destinée, la revendique, et s'efforce immanquablement de prendre les mesures nécessaires pour remporter la victoire.

Examinez attentivement les biographies des grands de ce monde, vivants ou disparus, et dans presque chaque cas, un impérieux trait de caractère ressort plus que tous les autres. C'est là le vrai secret de leur suprématie. Et c'est ce que j'appelle l'indomptable, l'invincible *Volonté – qui est le refus de céder d'un centimètre aux forces extérieures qui cherchent à contrecarrer le progrès.*

Napoléon en était un excellent exemple; Otto Bismarck également; Ulysses Grant l'illustra superbement; monsieur Morgan la possédait à fond; Theodore Roosevelt en pleine action était un vibrant exemple de volonté; Thomas Edison lui devait sa fameuse concentration et sa persistance. Oui, les capitaines de l'industrie, de la finance, de l'invention, de l'art, de la science, ont tous bâti leurs réalisations immortelles sur l'invincible pouvoir de la volonté.

«Je veux» est la disposition d'esprit suprême – la plus intense attitude du moi à l'égard des forces extérieures. Votre moi, de concert avec votre volonté en action, ont pour serviteurs le corps, l'intellect et les sentiments. Et avec ces serviteurs pleinement disciplinés, vous pouvez conquérir le monde, l'univers.

Lisez la promesse suivante, encore et encore:

Sachant que ce n'est qu'en rejoignant la première catégorie des êtres humains... ceux qui ont de la volonté... que je peux m'attendre à être un chef conquérant, je m'engage à développer grandement cette excellente qualité. Je ne souhaiterai pas passivement des choses et je ne rétrograderai pas dans la troisième catégorie de ces gens qui renoncent au royaume de leurs rêves, dans l'illusion que la vie est une question de destinée fixée à l'avance.

Ne demandez à personne la permission d'accomplir ce qu'il n'appartient qu'à vous de faire. Volez hardiment de vos propres ailes, grâce à votre propre initiative, et *accomplissez*, tandis que la multitude se tiendra tout près, la bouche muette d'étonnement et d'une crainte révérencieuse. Le chef conquérant confiant et audacieux fait un pas en avant et remporte le prix pendant que tous les autres restent là à s'émerveiller de son audace.

«Les plus importantes réussites appartiennent à ceux qui assument les plus grands risques.» Réfléchissez à cela pendant un certain temps. C'est une façon de vivre pour le chef conquérant. Le monde est rempli de poltrons qui n'osent pas entreprendre de grandes choses. Les convenances, les travers et les «que vont dire les gens?» sont des spectres qui leur enlèvent toute leur énergie. Oubliez ces épouvantails! Mettez-les au rebut. Les plus remarquables réussites vous sont accessibles si seulement vous acceptez d'assumer les plus grands risques, équilibrés avec sang-froid par un jugement éclairé.

«Osez ce que personne d'autre n'osera. *Cherchez à accomplir ce que personne d'autre ne tentera de faire*. Il n'existe pas de meilleure façon de vous manifester comme étant un être supérieur aux yeux des autres et de vous-même.»

Oh, j'admets que je ne présente pas ici une philosophie et un credo pour la grande majorité de l'humanité. Il y a çà et là un homme ou une femme qui rassemblera le fil de mes phrases et qui tissera pour lui-même ou elle-même de merveilleux lainages.

Je crois en cet être humain.

Je crois en cette personne qui organise sa propre destinée sur une grande échelle.

Le chêne robuste au sommet de la montagne représente pour moi la force, la résistance. Vigoureux et fort, sa croissance et son existence même défient les lois de la nature. Le prix à payer, pour parvenir à ce rang éminent parmi les hommes et les femmes, consiste à lutter afin de s'élever au-dessus de la dépréciation, de l'insulte, de la raillerie, du sarcasme et de l'insolence.

Pouvez-*vous* payer ce prix?

Allez-*vous* payer ce prix?

Chapitre XI

Le cinquième échelon de l'échelle de la vie

La vie est pour chacun de nous un panorama qui change continuellement. Les beaux paysages d'hier ont pris de l'âge, les décors d'aujourd'hui changent rapidement, et les images de demain seront entièrement nouvelles. Chaque jour apporte avec lui d'excellentes perspectives d'avenir et des intérêts accrus. Le grand problème de toutes les époques et la question brûlante d'aujourd'hui, c'est de savoir comment réussir. Chaque génération du passé a dû s'exposer à ce problème et chaque être humain d'aujourd'hui se pose cette même question cruciale. Les espoirs et les cœurs de tous les hommes et de toutes les femmes sont les mêmes. Vos espoirs sont comme les miens. Je souhaite le bonheur. Vous aussi. Je désire réussir. Vous de même. Nos idéaux de bonheur ou de réussite diffèrent peut-être, mais chacun de nous s'efforce d'atteindre cet idéal que nous appelons le succès. Un être ayant toute sa raison ne pourrait jamais souhaiter la ruine, l'échec et le chagrin.

«Plusieurs hommes et femmes réussiraient beaucoup mieux que ce qu'ils accomplissent actuellement si seulement ils savaient comment s'y prendre. Ce livre, *Portraits et principes*, fut écrit pour eux. Même si les auteurs de ce livre ne peuvent pas parcourir la route de la vie à votre place et vous transmettre ainsi ce savoir complet que seule l'expérience concrète peut apporter, il reste toutefois que, venant au second rang après cette expérience concrète, la chose la plus importante au moment d'entreprendre un voyage vers l'inconnu, c'est un bon livre pour vous guider.

«J'ai eu la chance de pouvoir rassembler, dans ce livre, certaines pensées et suggestions à propos du succès et de la vie, provenant des esprits les plus sages que je connais. Prêtez attention à leurs opinions et à leurs bienveillants conseils. Cela pourra vous éviter ultérieurement beaucoup de chagrin et de désespoir. Vous aussi pourriez réussir. Il n'est pas normal de souhaiter être une épave humaine ou de souhaiter être considéré comme un sujet continuel d'irritation et de raillerie. On peut donc présumer à coup sûr que vous voulez que votre vie soit une bénédiction pour les autres et vous-même. Il est judicieux de se rappeler qu'il n'existe pas de meilleur professeur que l'expérience, et que les leçons de l'expérience sont les plus éloquentes et les plus précieuses.

«De nombreuses personnes, en effet, n'étudieront dans aucune autre école, et nous avons tous, à un moment ou l'autre, suivi plus ou moins les leçons de l'expérience. Toutefois, il n'est pas sage, ni sans risque de dépendre entièrement de ce que vous pourriez apprendre de l'expérience, car vous découvrirez que les connaissances que vous y gagnerez, bien que précieuses, arrivent souvent trop tard pour que vous en profitiez dans votre vie présente, et qu'elles servent seulement à vous rappeler vos erreurs antérieures. Par conséquent, soyez disposé à apprendre des autres.»

(Ces mots furent écrits par le directeur de la plus importante maison d'édition américaine du siècle dernier, William C. King. Grâce à son poste, il put convaincre certains des esprits les plus avisés de son temps de collaborer à son propre livre par leurs réflexions sur la réussite. Ce livre, *Portraits et principes*, devint l'un des premiers succès de librairie dans le domaine de la réussite personnelle. Les conseils que vous êtes sur le point de lire ne datent pas d'hier, mais ils sont inestimables, et vous vous épargnerez bien du chagrin si vous en tenez compte. S.P.)

Un seul but en vue. Le succès est un terme relatif et sa signification varie selon la nature du métier qu'exerce un individu dans la vie. Au cours d'une bataille, le fait de remporter une victoire sur l'ennemi est un succès. Si vous entreprenez un voyage, le fait d'atteindre votre destination est aussi un succès. Le médecin qui sauve ses patients, l'avocat qui gagne sa cause, le chef politique qui prend le pouvoir, le fabricant qui agrandit son entreprise, l'homme de science qui élargit la somme des connaissances humaines, chacun, dans sa propre sphère, obtient un succès relativement complet.

Ayant choisi votre occupation, vous souhaitez bien sûr réussir dans ce domaine. Comment pouvez-vous le mieux y parvenir? *En concentrant vos efforts sur une seule chose à la fois* Plusieurs personnes gaspillent leurs énergies en entreprenant trop de choses à la fois. Avec le résultat que même s'il leur arrive de réussir très bien dans une entreprise risquée, ils dissipent ainsi leurs pouvoirs de supervision et leur capital en tentant trop de choses en même temps, et à la longue, ils échouent à obtenir le succès qu'ils espèrent. Vous devriez toujours masser vos forces dans cette partie de la ligne de combat où le plus fort de la bataille va se dérouler. Si vous avez décidé de réussir dans une entreprise particulière, restez en place et conquérez. Bien des gens peuvent remporter beaucoup de succès dans une entreprise déterminée mais ne sont pas en mesure de réussir dans une douzaine d'entreprises différentes.

Les faux modèles. Le succès! Quelle est donc cette chose que tous désirent, que peu de gens comprennent, et que moins de gens encore sont disposés à s'efforcer d'obtenir? Plusieurs pensent qu'ils vont remporter le prix convoité sans effort, mais cela n'arrivera pas. Si le succès était quelque chose d'extérieur, il pourrait en être ainsi. Nous pourrions peut-être alors errer à l'abandon, nous laisser emporter par la marée, virer comme le vent à chaque changement de brise, et récolter le succès comme si on résolvait une question d'intérêt secondaire tout en flânant sur la grande route de la vie. Mais le succès ne peut pas être acquis de cette façon; il n'est pas à vendre dans ces conditions; le succès n'est pas un accident, mais un résultat; il n'est pas le fruit de la chance mais la récompense d'un long et pénible effort.

Le succès dans sa plus haute manifestation consiste à donner le meilleur de soi-même; c'est aussi accomplir avec une fidélité constante et soutenue les modestes obligations de la vie de tous les jours; le succès suit étroitement la reconnaissance inébranlable du fait que, la garantie la plus sûre d'avancement, c'est le fidèle accomplissement de ses fonctions même les plus effacées, et d'occuper ce poste subalterne en faisant preuve de tellement de loyaux services que, dans la nature des choses, une promotion doit nécessairement s'ensuivre. Ce fut une personne fidèle aux petites choses que l'on fit régner sur plusieurs. *En un mot, le succès est une question de caractère.*

Tirez le meilleur parti de vos talents, des occasions qui se présentent à vous, et de vous-même. Méfiez-vous des faux modèles dans votre façon de vous conduire et dans vos méthodes de vie. N'imitez pas ceux-là dont la morale de vie est entachée, que ce soit en vous associant à eux ou par votre conduite personnelle. Ne suivez pas l'exemple de celui dont les méthodes en affaires sont contestables. Gardez votre vie et votre caractère libres de toute souillure ou de toute tare. Visez haut. Les motifs méprisables, les aspirations de second ordre et, toute réalisation moindre que ce que vous pouvez faire de mieux, sont tous indignes de vous.

Attendre que quelque chose arrive. Il existe un proverbe, qui a cours depuis longtemps, selon lequel: «Dieu prend soin de l'éclopé et du paresseux.» Je soupçonne qu'il tire son origine de la philosophie de ceux-là qui «attendent toujours que quelque chose arrive». Ces gens sont bien sûr constamment désappointés. Ils le méritent. Ils n'arrivent à rien d'autre qu'au désastre et à la disgrâce. Les choses «n'arrivent» pas dans ce monde. On les fait arriver. Il existe une chaîne infinie, inhérente à la vie, de causes naturelles et d'un fonctionnement sûr. Rien ne se fabrique à partir de rien. Multipliez des milliards par un zéro et le produit sera zéro. Il existe également une loi de l'équité. Nous obtenons tous ce que nous méritons. La victoire n'est remportée que par une bataille courageuse et acharnée. Le succès est obtenu seulement par l'effort, le travail, l'abnégation, le talent, et une longue lutte continuelle imprégnée de patience. «Attendre que quelque chose arrive», c'est attendre que les rayons de lune se transforment en argent, que la magie et la chance prennent la place des lois naturelles dans l'univers.

Mais vous vous demandez peut-être: «N'existe-t-il alors aucune circonstance et condition favorable dans la vie? N'existe-t-il aucune marée dans les affaires humaines qui, lorsque prise à la marée montante, mène à la fortune?» Oui, sans aucun doute; mais seulement pour ceux qui travaillent et attendent, et non pour ceux-là qui restent couchés, désœuvrés, et qui attendent. Elles sont pour ceux qui sont sur le terrain au beau milieu des activités de la vie, «faisant tout leur possible», dans toutes les conditions et circonstances, et non pas pour ceux-là qui se cachent et se défilent. Les meilleures chances n'arrivent qu'à ceux qui saisissent toutes les chances, bonnes et mauvaises, et qui en tirent le maximum. Le gros poisson, tout comme le petit, sont attrapés par ceux qui vont à la pêche, et non pas par ceux-là qui restent à la maison.

Des yeux qui voient. Tandis que j'écris, mes yeux englobent le papier devant moi, puis les divers objets dans la chambre, dans leurs formes, leurs couleurs, la direction et la distance. Je regarde ensuite à ma fenêtre et je vois les maisons, les usines, les immeubles d'affaires, les flèches des églises, et les collines qui étirent dans le lointain leurs formes rendues imprécises par la distance, tandis que les nuages, tels des vaisseaux fantômes, lèvent la voile dans un ciel d'azur. Je prends connaissance de toutes ces choses grâce à un petit mécanisme sphérique de moins de trois centimètres de diamètre. Je peux toucher et manipuler les objets sur mon bureau; je peux également toucher les lointaines collines, mais pas avec ma main. Je ne peux pas me rendre vers elles, à moins de voyager pendant plusieurs heures, mais j'ouvre les yeux et elles me sont apportées sur des ailes de lumière.

Il est vrai que plusieurs parmi nous traversent la vie avec les yeux ouverts, mais avec une cervelle derrière l'œil tellement léthargique qu'ils voient à peine plus que le petit chien à leurs côtés. L'œil est, après tout, un outil du cerveau, et ce dont nous avons un pressant besoin, c'est qu'on enseigne au cerveau à utiliser, avec davantage de talent, ce délicat mécanisme. Il nous faut des yeux «éduqués», des pouvoirs de perception et de reproduction bien formés. Déambulez dans les rues de la cité avec un compagnon, regardez la même vitrine de magasin pendant un instant, puis, tentez de voir lequel des deux peut livrer le compte rendu le plus fidèle de ce que vous aurez vu. L'œil est capable d'être exercé selon un processus de photographie instantanée qui apportera à la fois plaisir et profit à son possesseur.

La différence entre le succès de l'un et l'échec de l'autre réside souvent simplement dans la façon de se servir des yeux. L'un voit et s'attarde sur une chose à laquelle l'autre ne jette que des regards furtifs. L'individu couronné de succès voit assurément plus loin que les faits ou les objets qui viennent à son attention. Il les considère comme des portes d'entrée sur des opportunités qui lui donneront accès à quelque chose de meilleur par-delà ces portes, quand il les ouvrira. En lisant les biographies d'inventeurs et de découvreurs, nous rencontrons souvent l'expression suivante: «Il remarqua que...», suit alors un compte rendu expliquant comment un problème, on ne peut plus banal – que d'autres avaient fait passer de main en main ou sur lequel ils avaient buté à maintes reprises – devint son tremplin vers le succès.

Les découvertes et les inventions sont rarement attribuables à la chance. Les découvreurs et les inventeurs «remarquent» car ils ont cultivé leur don d'observation, ils ont des yeux qui voient. Sir Isaac Newton élabora la déclaration de la loi de la gravité et découvrit que la même force qui provoquait la chute d'une pomme dans le verger de sa mère gardait également la lune sur son orbite. D'autres avaient vu auparavant des pommes tomber et la lune se déplacer dans le ciel, mais il fut le premier homme à faire le rapprochement entre les deux.

Pour atteindre le véritable succès, vous devez non seulement posséder des dons d'observation d'une manière générale, mais suivre aussi un apprentissage spécialisé de ces dons, afin de considérer toujours les choses sous l'angle de votre spécialité. Là-bas, au loin, trois hommes se trouvent au sommet d'une colline. Le premier est un agent immobilier.

Son œil exercé lui permet d'évaluer la fertilité de ces milliers d'hectares de terres dans la vallée, de soupeser la valeur de ces pentes boisées, ou de juger des possibilités de créer sur ces pentes magnifiques un petit village de banlieue, où les maisons pourront être construites loin des bruits et des fumées de la ville. Le deuxième homme est un géologue. Ses yeux perçoivent la nature du sol, les formations rocheuses, les contours des collines et des vallées, le cours des rivières, et il voit comment à travers des temps immémoriaux, les forces de la nature ont donné sa forme actuelle à cette région du pays qui s'étale à ses pieds.

Le troisième est un peintre. Il ne se préoccupe guère du potentiel et des multiples utilités des vallées et des flancs de coteau, ou du processus par lequel ils ont acquis leur forme actuelle. Il voit le tout avec un œil d'artiste, son âme se remplit d'une joie d'artiste, et il attend impatiemment de saisir sur toile ces vallées de verdure, la rivière, qui tel un ruban d'argent serpente à travers la verdure, les collines boisées, les maisons blanches au fond de la vallée et le ciel vaporeux. Chacun de ces individus utilise ses yeux pour voir, mais les yeux de chacun ont été exercés différemment. Voilà pourquoi chacun regarde avec les yeux de sa propre spécialité.

Vos yeux sont les fenêtres sur votre avenir. Utilisez-les à bon escient et ils vous mèneront directement à cette bonne vie que vous méritez.

La pratique assure la perfection. Il n'y a qu'une seule façon d'apprendre à accomplir une chose, c'est en la faisant. Aucun art, aucun métier exigeant des compétences ne se possède à fond immédiatement. Il faut l'exercer longuement et patiemment avant que l'un ou l'autre ne livre ses secrets.

Il est possible que quelqu'un puisse apprendre à scier du bois en l'espace d'une heure et recevoir un salaire dans ce domaine pendant le reste de ses jours. C'est un métier utile mais qui n'exige pas une longue formation ou un talent particulier pour pouvoir l'exercer avec succès. Il ne requiert que des muscles et un degré d'intelligence moyen.

Cela s'avère très différent dans des métiers réclamant de la dextérité, des compétences et une intelligence au-dessus de l'ordinaire. Il faut de nombreuses années avant de parvenir à maîtriser ces métiers. «Combien de temps vous a-t-il fallu pour préparer ce sermon?» demanda quelqu'un au docteur Lyman Beecher. Sa réponse prompte fut la suivante: «Quarante ans». Quand on demanda à monsieur Giardini combien faudrait-il de temps pour apprendre le violon, ce dernier répliqua: «Douze heures par jour pendant vingt ans.»

Il serait très agréable de pouvoir apprendre à jouer le violon ou le piano par inspiration. Mais les grands musiciens n'ont pas appris de cette façon. Des exercices continuels furent le prix qu'ils eurent à payer pour leur compétence dans leur art. Ce n'est pas par une soudaine inspiration qu'on acquiert une dextérité, une maîtrise, une facilité à se plier à une discipline, mais par un travail assidu et acharné. Rien ne se fait aisément: même le fait de marcher ou de parler ne s'accomplit pas sans difficulté au cours des premières années de la vie. La pratique, dans n'importe quelle sphère d'activités, nous vient en aide grâce à la loi de l'habitude, une loi qui règne tout autant dans les domaines musculaire et mental que dans l'aspect moral de l'action.

Faites quelque chose suffisamment de fois et vous acquerrez de la facilité à l'accomplir. Chaque action a tendance à se répéter elle-même; une action répétée engendre l'habitude, et cette dernière devient une seconde nature pour nous. Tous les pouvoirs et les possibilités à l'intérieur de nous sont assujettis à cette puissante loi de l'habitude. La pratique fait entrer la loi en vigueur, suscite des possibilités demeurées cachées jusqu'à ce jour, et met à l'œuvre des pouvoirs qui autrement seraient restés en veilleuse.

Écoutez un grand pianiste comme Ignacy Paderewski, au doigté extraordinaire, dont les doigts glissent sur les touches en exhalant la vie, et on a alors l'impression qu'il a toujours dû être facile pour lui de jouer; mais c'est en se renseignant qu'on apprend que c'est par un travail, incessant et rigoureux, depuis ses plus tendres années jusqu'à l'âge adulte, qu'il a acquis ce talent exquis.

Même les peintres Titien et Raphaël durent débuter en traçant des lignes droites; Ludwig van Beethoven et Amadeus Mozart durent découvrir une à une les notes sur le piano; et William Shakespeare lui-même dut apprendre l'alphabet avant d'écrire *Hamlet* et *Le Roi Lear*. Ces choses sont apprises petit à petit. «Un apprentissage improvisé, ça n'existe pas», disait Daniel Webster. La perfection, tout comme le ciel, ne s'acquiert pas d'un seul coup. Nous construisons l'échelle qui nous permet de grimper.»

(Souvenez-vous de ces sages paroles quand vous monterez sur votre propre échelle spéciale de vie qui vous grandira, échelon par échelon, tandis que vous absorberez votre portion de sagesse journalière dans chaque livre rempli de discernement, jusqu'au jour où les actions suggérées dans ces livres deviendront une part importante de votre routine quotidienne. S.P.)

Ne vous découragez pas si les progrès semblent se faire lentement. Le temps et le dur labeur accompliront des merveilles. La pratique est un prélude au chant de la victoire. Faites toujours de votre mieux. Rappelez-vous les mots de Ludwig van Beethoven: «On n'a pas encore érigé des barrières qui annoncent aux talents en herbe et aux industries potentielles, "jusqu'ici mais pas plus loin."»

L'importance de la politesse. Vos manières trahissent en général votre caractère. Elles sont un signe révélateur de vos goûts, de vos sentiments et de votre tempérament; elles révèlent habituellement le genre de fréquentations que vous avez coutume d'entretenir.

Il existe une sorte de comportement conventionnel, un vernis superficiel, un «masque de société» que certaines personnes utilisent lors d'occasions spéciales, un comportement d'une importance négligeable, qui n'a pas de valeur pratique, et qui saute aux yeux autant qu'il est stérile. Une politesse affectée est une tentative de tromperie, un effort dans le but de faire croire aux autres que nous sommes ce que nous ne sommes pas; tandis que la véritable politesse est l'expression visible du caractère inné, la manifestation extérieure de l'être intérieur. Par conséquent, un excellent caractère reflète d'excellentes manières.

Il y a une énorme différence entre le «bon usage en société», qui est en fait une tentative hardie mais stérile de feindre la vertu, et les véritables bonnes manières qui sont l'expression naturelle d'un cœur débordant d'honnêtes intentions.

La vraie politesse doit naître de la sincérité. Elle doit être une réponse venant du cœur sinon elle ne créera pas une impression durable, car aucun des «airs qu'on se donne» et aucune des «belles manières de surface» ne peuvent remplacer l'honnêteté et l'authenticité.

Le génie d'une personne peut, pendant un temps, dissimuler plusieurs défauts, mais le caractère inné ne peut pas être tenu caché bien longtemps; il est certain que la vraie personnalité d'un être remontera tôt ou tard à la surface, révélant ses imperfections, ses penchants naturels, et ses traits caractéristiques.

Les bonnes manières se développent dans un esprit imprégné de désintéressement, de gentillesse, de justice et de générosité. Ne découvrir qu'une personne qui possède ces qualités, c'est être en présence d'un être gentil et poli. Les bonnes manières devraient être des éléments essentiels de notre éducation et nous n'insisterons jamais assez sur leur importance; surtout quand on se rend compte qu'elles expriment extérieurement des vertus intérieures et, tout comme les aiguilles d'une montre, elles indiquent que le mécanisme interne est parfait et juste.

Parmi les qualités qui contribuent au succès dans ce monde, la politesse occupe le premier rang. Plus particulièrement dans le monde des affaires où notre comportement vis-à-vis des autres souvent, plus qu'en tout autre circonstance, favorise ou entrave notre avancement et notre succès dans la vie.

En général, notre succès ou notre échec dépend du degré de courtoisie et de politesse dont nous témoignons envers les autres. La personne dont le cœur et la vie sont sur la bonne voie déploiera ces qualités gagnantes acclamées universellement, et s'assurera de la bonne volonté et du soutien chaleureux à la fois d'amis et d'étrangers. Il n'existe pas de sphères d'activités humaines où les bonnes manières n'ont pas leur place. La politesse est une de nos clés en or pour ouvrir le verrou de la porte qui mène au succès et au bonheur.

Chapitre XII

Le sixième échelon de l'échelle de la vie

L'aphorisme: «Un homme est le reflet de ses pensées», ne s'applique pas uniquement à l'être humain; son sens très large lui fait embrasser toutes les conditions et les circonstances de notre vie; un homme est, littéralement, le reflet de ce qu'il pense, son caractère étant la somme complète de toutes ses pensées.»

(James Allen écrivit ces sages paroles il y a plus de cent ans dans un tout petit livre intitulé *L'homme est le reflet de ses pensées**, qui fut considéré par de nombreuses générations comme étant l'un des plus puissants et des plus pertinents guides pour une vie meilleure, à avoir été remis aux habitants de cette terre. Il n'y a qu'un seul obstacle dans les conseils inestimables de monsieur Allen pour celui qui cherche la vérité de nos jours, et c'est sa référence constante à l'humanité en général en tant qu'«homme»,

* Publié aux éditions Un monde différent.

une habitude courante propre à son temps. J'ai travaillé dur afin de transposer les mots de ce brillant auteur à la première personne sans toutefois en changer aucunement le sens. Donc, quand vous lirez chaque déclaration solennelle pour une vie meilleure, elle s'adressera à vous directement, que vous soyez un homme ou une femme. Personne n'a osé altérer ces mots d'une grande puissance pendant plus d'un siècle... jusqu'à aujourd'hui. S.P.)

Le sage proverbe «Tel je pense en mon cœur, tel je suis» ne s'applique pas seulement à tout mon être; son sens très large lui fait embrasser toutes les conditions et les circonstances de ma vie. Je suis littéralement *le reflet de ce que je pense*, mon caractère étant la somme complète de toutes mes pensées.

Tout comme une plante sort de la graine, sans laquelle elle ne pourrait exister, chacune de mes actions prend naissance dans les graines secrètes de ma pensée, et ne peut se concrétiser sans elles. Ceci s'applique autant aux actions dites «spontanées» et «non préméditées» qu'à celles exécutées de façon délibérée.

Je me fais et me défais moi-même; dans l'arsenal de mon esprit, je forge les armes qui me détruiront, mais je façonne également les outils avec lesquels je construirai les abris célestes de joie, de force et de paix. Par un juste choix et une mise en œuvre conforme de mes pensées, je suis capable d'atteindre la perfection divine; par l'abus et une mauvaise application de mes pensées, je me rabaisse au niveau de la bête et plus bas encore. Entre ces deux extrêmes, se trouvent tous les types de caractères dont je suis le seul maître et le seul responsable.

Parmi toutes les grandes vérités liées à l'âme récemment établies et mises en lumière, la plus réconfortante et la plus féconde en confiance et en promesse divines est la suivante: Je suis le maître de mes pensées, je pétris moi-même mon caractère, je fabrique et façonne ma vie, mon environnement et ma destinée.

Être de puissance, d'intelligence et d'amour, seigneur de mes pensées, je détiens la clé de toutes les situations et renferme en moi-même ce pouvoir transformateur et régénérateur me permettant d'accomplir ce que me dicte ma volonté.

Je suis toujours le maître, même dans mes moments de faiblesse et de solitude; mais dans ces moments de faiblesse et d'abandon, je suis le maître incompétent qui ne sait plus comment diriger son «domaine». Lorsque je me mets à réfléchir à ma condition et que je recherche consciencieusement la Loi selon laquelle tout être humain doit vivre, je deviens alors le maître sage, dirigeant mon énergie avec intelligence, façonnant mes pensées en vue de conclusions positives.

Ce n'est que par la recherche et la prospection que l'on découvre de l'or et des diamants, et je ne découvrirai les vérités liées à mon être qu'en creusant la mine de mon âme.

Mon esprit peut être comparé à un jardin que l'on peut cultiver intelligemment ou laisser à l'abandon; qu'il soit cultivé ou négligé, ce jardin *doit produire et produit.* Si nous n'y ensemençons aucune graine utile, la mauvaise herbe s'y installera et s'y développera.

Tout comme un jardinier prend soin de sa parcelle de terre, en y arrachant les mauvaises herbes et en y plantant les fleurs et les fruits qu'il désire, je peux de la même façon veiller au jardin de mon esprit, écartant les pensées mauvaises, inutiles et impures, et amenant lentement à la perfection les fleurs et les fruits de pensées justes, utiles et pures. C'est en respectant ce principe que je découvrirai très vite que je suis le maître jardinier de mon âme, le dirigeant de ma vie.

Je me sens accablé par les circonstances lorsque je crois que je ne peux rien contre les influences extérieures; mais quand je me rends compte que je suis une puissance créatrice et que je peux contrôler le sol et les graines cachées au plus profond de moi-même, à partir desquelles se développent les circonstances, je deviens alors le maître légitime de moi-même.

Toute pensée que l'on ensemence ou qu'on laisse pénétrer dans notre esprit, qui y prend racine, se développe – fleurissant tôt ou tard en un geste qui porte ses fruits d'opportunités ou de circonstances. Les bonnes pensées amènent de bons fruits, les pensées mauvaises, des fruits mauvais.

Le monde extérieur des circonstances s'adapte au monde intérieur des pensées et les conditions externes, plaisantes ou non, sont des facteurs qui visent au bien ultime d'un individu. Récoltant moi-même ce que je sème, j'apprends tout autant par la souffrance que par la joie.

Je n'attire pas ce que je veux, mais ce que je suis. Mes caprices, mes fantaisies et mes ambitions sont sans cesse déjoués, mais mes pensées et mes désirs les plus intimes se nourrissent d'eux-mêmes, en bien ou en mal. La «divinité qui nous pétrit» est en moi-même; c'est mon vrai moi!

Des pensées et des actions positives ne peuvent jamais donner de mauvais résultats; des pensées et des actions mauvaises ne peuvent jamais donner de bons résultats. En d'autres mots, le blé provient du blé et l'ortie n'engendre que des orties. L'être humain admet cette loi en ce qui concerne la nature et s'y plie; mais peu de gens la comprennent en ce qui concerne le monde moral et spirituel (bien qu'elle fonctionne exactement de la même façon et qu'elle soit tout aussi indéniable), et, par conséquent, nous ne coopérons pas avec cette loi.

La souffrance provient *toujours* de quelque mauvaise pensée, dans un sens ou l'autre. Il s'agit d'une indication comme quoi je ne suis pas en harmonie avec moi-même, avec la Loi de mon être. Le seul et unique but de la souffrance est de purifier, de brûler tout ce qui est inutile et impur. La souffrance me quitte quand j'atteins la pureté.

Tandis que je commence à changer ma façon de penser vis-à-vis des autres et de ce qui m'entoure, les autres et les circonstances se modifient de la même manière face à moi.

La preuve de cette vérité se trouve en chacun de nous et est facile à découvrir par une introspection et une autoanalyse systématiques. Quand je modifierai radicalement ma façon de penser, je serai étonné de la transformation rapide que cela aura sur les conditions matérielles de ma vie. On s'imagine que l'on peut tenir nos pensées secrètes, mais cela est faux; nos pensées se cristallisent rapidement en habitudes, et l'habitude s'implante dans les circonstances. Les pensées de peur, de doute et d'indécision se cristallisent dans l'échec et la dépendance servile, tandis que les pensées courageuses et indépendantes se cristallisent dans la réussite et l'abondance.

Une certaine ligne de pensée dans laquelle on se maintient, qu'elle soit bonne ou mauvaise, produit nécessairement ses propres résultats au niveau du caractère et des circonstances. Je ne peux pas choisir directement les circonstances qui m'entourent, mais je peux choisir mes pensées et, par conséquent, indirectement, je peux façonner les circonstances de ma vie.

Si j'abandonne mes pensées négatives, le monde s'adoucira à mon égard et se montrera disposé à m'aider. Si je me débarrasse de mes pensées faibles et malsaines, les occasions se présenteront en quantité pour m'aider à me maintenir dans ce nouveau chemin. Si j'entretiens des pensées positives, jamais le destin ne m'entraînera dans la honte et l'infortune. Le monde est mon kaléidoscope, et les différentes combinaisons des diverses couleurs qui se succèdent sont les images merveilleusement adaptées de mes pensées sans cesse en mouvement.

Mon corps est le serviteur de mon esprit. Il obéit aux opérations de l'esprit, que celles-ci soient choisies de façon délibérée ou exprimées de façon automatique. Au commandement de pensées illégitimes, mon corps sombre rapidement dans la maladie et la déchéance. Au commandement de pensées heureuses et belles, le corps s'enveloppe de jeunesse et de beauté.

La maladie et la santé, tout comme les circonstances, ont leurs racines dans notre esprit. Des pensées malsaines se matérialisent par un corps maladif. On sait que la peur peut tuer un homme aussi sûrement qu'une balle, et elle tue les êtres par milliers, peut-être de façon moins rapide et moins spectaculaire. Les gens qui vivent dans la crainte de la maladie sont ceux qui tombent malades. L'angoisse démotive rapidement tout notre être et laisse libre champ à tous les maux; les pensées impures, même si elles ne se matérialisent pas, détraquent très vite le système nerveux.

La pensée est le moule de l'action, de la vie et de ses manifestations. Si je fais en sorte que la fontaine soit claire, tout sera clair.

Le fait de modifier mon régime alimentaire ne m'aidera pas si je ne modifie pas ma façon de penser. Quand je fais en sorte que mes pensées soient pures, je n'ai plus envie de m'alimenter à partir d'une nourriture malsaine.

Les bonnes pensées entraînent les bonnes habitudes. Le soi-disant saint qui ne lave pas son corps n'est pas un saint. Celui qui renforce et purifie ses pensées ne se préoccupe pas des microbes dangereux.

Si je veux que mon corps tende vers la perfection, je dois prendre soin de mon esprit. Pour renouveler mon corps, je dois embellir mon esprit. La malice, l'envie, la déception et le découragement dérobent à mon corps sa santé et sa grâce. Un visage aigri n'est pas le fruit du hasard, ce sont des pensées aigries qui le rendent ainsi. Les rides qui déparent ce visage sont celles de la sottise, de la passion, de l'orgueil.

Tout comme je ne peux pas avoir une maison agréable sans laisser entrer l'air et le soleil dans les pièces, je ne peux pas avoir un corps résistant et une expression gaie, joyeuse et sereine sans un esprit enjoué, serein et volontaire.

Il n'y a pas de meilleur médecin que des pensées réconfortantes lorsqu'il s'agit d'éliminer les maux physiques; aucun réconfort ne vaut celui de la bienveillance lorsqu'il s'agit de chasser tristesse et ennui. Vivre continuellement dans la malveillance, le cynisme, la suspicion et l'envie, c'est se confiner à une prison à laquelle on se condamne soi-même. Mais penser du bien de tout et tous, réconforter tous ceux qui nous entourent, rechercher avec patience le bon côté de toute chose; de telles pensées désintéressées nous font accéder aux portes du paradis. Si nous entretenons, jour après jour, des pensées remplies de paix envers toutes les créatures qui nous entourent, nous nous assurerons une paix foisonnante pour nous-même.

Tant que la pensée n'est pas liée à un but, il n'existe aucune réalisation intelligente. Dans la majorité des cas, il est permis à la barque de la pensée de dériver sur l'océan de la vie. Le manque d'ambition est un vice et si je veux éviter la catastrophe et la destruction, je dois interrompre cette dérive.

Si je n'ai pas un but central dans la vie, je deviens vite la proie des soucis, de la peur, des ennuis, et je m'apitoie sur mon sort; il s'agit là d'indices de faiblesse qui mènent tout aussi sûrement à l'échec, au malheur et à la perte que les fautes prémédités.

Je dois me fixer un but légitime dans mon cœur et m'arranger pour l'atteindre. Ce but doit être le point central de mes pensées. Il peut prendre la forme d'un idéal spirituel, d'un objet matériel selon mes dispositions du moment; mais quel que soit ce but, je dois concentrer les forces de ma pensée sur l'objet désiré. Ce but devra être ma tâche suprême; je devrai me consacrer à l'atteindre sans jamais laisser mes pensées errer vers des fantaisies passagères et des désirs éphémères. C'est là le chemin royal vers la maîtrise de soi et la vraie concentration mentale.

Même si j'échoue à plusieurs reprises à atteindre mon but (ce qui risque d'arriver tant que la faiblesse ne sera pas vaincue), *la force de caractère que j'acquiers* sera la mesure de mon succès *véritable*; cela constituera pour moi un nouveau point de départ vers une puissance et un triomphe futurs.

Ceux qui ne sont pas prêts à se fixer un but *grandiose* devraient se concentrer à réaliser leur tâche de façon parfaite, peu importe la petitesse de la tâche qu'ils accomplissent. Ce n'est que de cette façon que l'on apprend à se concentrer, que l'on peut développer sa résolution et son énergie qui permettent ensuite d'entreprendre n'importe quelle tâche.

Pour mettre un terme au manque d'ambition et à la faiblesse, et pour commencer à réfléchir avec résolution, il faut se décider à joindre les rangs de ces êtres forts pour qui l'échec n'est qu'un chemin menant à la réussite: ils retournent toutes les situations à leur avantage, ils jouissent d'une grande force de pensée, ils font des tentatives intrépides, et ils accomplissent leurs buts de main de maître.

Lorsque je me fixerai des buts pour moi-même, je me tracerai mentalement le chemin qui y mène *en ligne droite*, sans regarder à droite ni à gauche. Les doutes et les peurs doivent absolument être exclus; ce sont des éléments destructeurs qui viennent briser la constance de l'effort, qui la tordent, la rendant inefficace et inutile. Les pensées de doute et de peur n'ont jamais engendré et n'engendreront jamais quoi que ce soit de positif. Elles mènent toujours à l'échec.

Quand je réussis à conquérir le doute et la peur, je conquiers également l'échec. Chacune de mes pensées sera liée à la puissance, je ferai face aux difficultés avec courage et je les déjouerai avec sagesse.

Tout ce que je réussis et tout ce que j'échoue dépend directement de mes propres pensées. Ma faiblesse et ma force, ma pureté et mon impureté sont miennes et non pas celles des autres; c'est moi qui les attire, ce n'est pas un autre; moi seul peux les modifier et personne d'autre. Ma condition est également mienne de même que mes souffrances et mes joies viennent de moi. Je suis ce que je pense et je continue d'être le reflet de mes pensées actuelles, quelles qu'elles soient.

Un être fort ne peut en aider un plus faible à moins que ce dernier *veuille bien* se faire aider; je dois, par mes propres efforts, acquérir la force que j'admire chez les autres. Personne, en dehors de moi-même, ne peut modifier ma condition. Je ne peux parvenir à m'élever, à conquérir et à réussir qu'en élevant mes pensées. Je demeurerai faible, misérable et malheureux si je refuse d'élever mes pensées.

Il ne peut pas y avoir de progrès ni de réussite sans sacrifice. Ma réussite matérielle dépend du degré de concentration de mon esprit sur le développement de mes projets, de la force de ma résolution et de mon indépendance. Plus j'élèverai mes pensées, plus ma réussite sera grande, plus mes entreprises seront heureuses et durables.

Les victoires remportées ne peuvent être conservées qu'en faisant preuve d'une grande vigilance. Beaucoup lâchent pied aussitôt que la réussite est assurée, et retombent ainsi rapidement dans l'échec. Pour accomplir peu, je dois sacrifier peu; si je veux accomplir beaucoup, je dois sacrifier beaucoup; si je veux atteindre de hauts sommets, je dois sacrifier encore plus.

Si je nourris une vision merveilleuse, un idéal élevé au plus profond de mon cœur, je les réaliserai un jour. Christophe Colomb entretenait la vision d'un autre monde et il l'a découvert. Nicolas Copernic entretenait la vision d'une multitude de mondes dans un univers plus grand, et il nous les a dévoilés. Bouddha voyait un monde d'une beauté sans tache et parfaitement paisible, et il y est entré.

J'entretiendrai mes visions, j'alimenterai mes idéaux, je nourrirai la musique qui attise mon cœur, la beauté qui prend forme dans mon esprit, car c'est à partir de tout cela qu'apparaîtront toutes les conditions idéales et un environnement céleste; à partir de tout cela et à condition d'y rester fidèle, mon monde se construira finalement.

Je rêverai des rêves sublimes et au cours de ces rêves, je deviendrai ce que je rêve. Ma vision est la promesse de ce que je serai un jour; mon idéal est la prophétie de ce que je pourrai enfin dévoiler.

La plus grande réussite fut d'abord un rêve et ce, pendant un certain temps. Le chêne sommeille dans un gland; l'oiseau est en attente dans un œuf; et dans la plus haute vision de l'âme, un ange en état de veille remue doucement les ailes. Les rêves sont les germes de la réalité.

Les circonstances qui m'entourent peuvent me sembler difficiles et sans espoir, mais elles ne le demeureront pas longtemps si je poursuis un idéal et si je combats pour l'atteindre. Je ne peux pas voyager *à l'intérieur* et rester immobile *au dehors*. Je comprends maintenant que je vais réaliser la vision de mon cœur, qu'elle soit indigne ou merveilleuse, ou un mélange des deux, car je graviterai toujours autour de ce que, secrètement, j'aime le plus. On déposera dans mes mains la somme de mes propres pensées. Je recevrai ce que j'aurai mérité, ni plus ni moins. Quel que soit mon environnement actuel, je croulerai, je demeurerai, ou je m'élèverai avec mes pensées, ma vision, mon idéal. Je serai aussi petit que le désir qui me contrôle et aussi grand que l'aspiration qui me domine.

Les étourdis, les ignorants et les indolents, qui ne voient que les effets apparents et non pas les choses elles-mêmes, parlent de chances, de bonne fortune. En voyant un homme riche, ils s'écrient: «Comme il est chanceux!» Face à un intellectuel, ils s'exclament: «Voilà un être hautement avantagé!» Et, remarquant le caractère plein de bonté et la vaste influence d'un autre, ils déclarent: «La chance était avec lui dans chacune de ses entreprises!» Ils ne voient pas les combats, les échecs et les tentatives que ces gens ont eu à vivre afin d'acquérir de l'expérience. Ils n'ont aucune idée des sacrifices qu'ils ont dû faire, des efforts qu'il leur a fallu soutenir afin d'accroître leur expérience, des renoncements dont ils ont fait preuve afin de surmonter l'insurmontable.

Dans toutes les affaires humaines, il y a les *efforts* et il y a les *résultats*, et la force de l'effort est la mesure du résultat. La chance n'existe pas. Les «dons», les pouvoirs, les possessions matérielles, intellectuelles et spirituelles sont les fruits de l'effort. Ce sont des pensées concrétisées, des buts atteints, des visions réalisées.

Vous construirez votre vie grâce à la vision que vous glorifiez dans votre esprit et à l'idéal qui règne dans votre cœur, et vous deviendrez à la fois cette vision et cet idéal.

Chapitre XIII

Le septième échelon de l'échelle de la vie

Je souhaite être simple, honnête, naturel, franc, propre de corps et d'esprit, modeste, prêt à dire: «Je ne le sais pas», si tel est le cas, disposé à rencontrer tous les gens dans l'égalité absolue, à affronter n'importe quel obstacle et à affronter chaque difficulté sans avoir peur et sans être aucunement déconcerté.

«J'espère vivre à l'abri de la haine, des caprices, de la jalousie, de l'envie ou de la crainte. Je souhaite que les autres vivent eux aussi leurs vies au maximum, dans la plénitude. Avec cet objectif en vue, je prie afin que je ne me mêle jamais de ce qui ne me regarde pas, que je ne gêne pas les projets de qui que ce soit, que je ne fasse pas la loi, que je ne donne pas mon avis quand on ne me le demande pas, ou que je ne prête pas mon assistance quand on n'a pas besoin de mes services. Si l'occasion se présente de pouvoir aider les gens, je le ferai en leur fournissant la chance de s'aider eux-mêmes; et si je peux élever ou inspirer des âmes, que ce soit par l'exemple, la déduction et la suggestion, plutôt que par des injonctions et des ordres. Je veux rayonner de vie.

(Les mots tendres et chaleureux qui précèdent ont été écrits par l'un des plus sages philosophes, auteurs et éditeurs de notre nation, au cours des premières années du XXe siècle, Elbert Hubbard. Dans un tiroir de son bureau, monsieur Hubbard conservait un recueil de sages paroles écrites par d'autres et par lui-même, non pas dans le but de le publier mais comme ouvrage de référence afin de l'aider dans ses luttes quotidiennes. Le recueil fut par la suite publié dans *Elbert Hubbard Scrap Book* (Le recueil de Elbert Hubbard). Ce qui a guidé et inspiré Elbert Hubbard devrait jouer le même rôle pour n'importe quel lecteur. Ce qui l'a stimulé et exalté devrait fournir à d'autres la force nécessaire pour lutter contre la monotonie corrosive de notre monde de tous les jours. Vous découvrirez plusieurs étoiles brillantes sur cet échelon de votre échelle, des étoiles qui vous permettront de venir à bout des périodes d'obscurité que vous réserve l'avenir. S.P.)

Ô, pouvoir invisible qui commande et gouverne les destinées des enfants de l'univers, enseigne-moi la symphonie de la vie pour que ma nature soit en harmonie avec la tienne.

Révèle-moi la joie d'être aimant, dévoué et charitable.

Enseigne-moi à connaître et à jouer le jeu de la vie avec courage, force morale et confiance.

Donne-moi la sagesse de mesurer à la fois mes paroles et mon tempérament, et d'apprendre patiemment l'art de gouverner ma propre vie pour son plus grand bien, avec tout le respect qui convient à la vie privée, aux droits et aux limites des autres êtres.

Aide-moi à essayer d'obtenir les plus hautes récompenses légitimes découlant du mérite, de l'ambition et des occasions de faire des choses au cours de mes activités, tout en restant toujours prêt à tendre avec bienveillance une main secourable à ceux qui ont besoin d'aide et d'encouragement dans leur lutte.

Permets-moi d'offrir un sourire au lieu d'un froncement de sourcils, des paroles gentilles et encourageantes plutôt que des mots durs, pleins d'aigreur.

Rends-moi compatissant dans le chagrin, en prenant conscience qu'il y a des peines cachées dans la vie de chaque personne, quel que soit son rang.

Si je suis blessé et chancelant dans le combat de la vie, verse dans mes blessures le baume de l'espoir et imprègne-moi d'un courage intrépide afin de me relever et de continuer la lutte.

Garde-moi humble dans chaque relation de vie, sans être trop égotiste, ni enclin au grave péché de dénigrement de soi-même.

Dans le succès, garde-moi modeste.

Dans le chagrin, que mon âme s'allège à la pensée que, sans ombre, il n'y aurait pas la clarté du soleil.

❀ ❀ ❀

Quand vous vous retrouvez dans le pétrin et que tout va mal, au point où vous avez l'impression que vous ne tiendrez pas une minute de plus, n'abandonnez jamais dans de telles circonstances, car c'est justement le moment et l'endroit où le vent tournera.

Chaque minute que vous gagnez en l'utilisant utilement et de façon plus fructueuse, signifie autant de minutes que vous ajoutez à votre vie et à vos possibilités de succès. Chaque minute perdue est un «moment privilégié» qu'on laisse échapper – une fois cette minute écoulée, vous ne la recouvrerez jamais plus.

Pensez à ce quart d'heure et à cette demi-heure souvent perdus, le matin, avant et après le petit-déjeuner, et saisissez alors la chance de lire, de réfléchir et de penser, en étant pleinement concentré, à votre propre carrière – lors de ces moments perdus qui se présentent de temps à autre au cours de la journée. Toutes ces occasions sont des «moments privilégiés» de votre existence quotidienne. Saisissez-les et il se peut que vous découvriez ce que plusieurs personnes parmi les plus concernées ont appris: l'avantage réel se trouve dans l'utilisation de ces «moments privilégiés».

Parmi les gens qui n'ont pas de but, qui n'ont pas de succès ou qui sont sans mérite, vous entendez souvent l'expression «tuer le temps». Ceux qui tuent continuellement le temps «tuent» vraiment leurs propres chances dans la vie; tandis que les êtres destinés au succès sont ceux-là qui font «vivre» le temps en l'utilisant utilement.

Aujourd'hui, c'est votre jour et le mien, la seule journée dont nous disposons, le jour où nous jouons notre rôle. Nous ne savons peut-être pas ce que peut représenter notre rôle dans le grand ensemble de l'univers; mais nous sommes ici pour jouer ce rôle et c'est maintenant notre tour. Nous savons que c'est un rôle d'action, et non pas de plaintes continuelles. C'est un rôle d'amour, et non pas de cynisme. C'est un rôle qui nous permettra d'exprimer l'amour en termes de serviabilité humaine.

Chaque fois que vous quittez la maison, relevez le menton, gardez la tête haute, et remplissez complètement vos poumons; abreuvez-vous de soleil; accueillez vos amis avec le sourire et mettez de l'âme dans chaque poignée de main.

Ne craignez pas d'être mal interprété et ne gaspillez jamais une seule minute à penser à vos ennemis. Essayez de graver dans votre esprit ce que vous aimeriez accomplir, puis, vous vous engagerez aisément dans la bonne direction et vous avancerez directement sur l'objectif.

Gardez à l'esprit les grandes et splendides choses que vous voudriez accomplir, puis, tandis que les jours défileront, vous vous surprendrez vous-même en train de saisir inconsciemment les occasions requises pour la réalisation de votre désir, tout comme un crustacé à corail trouve dans le ruissellement de la marée les éléments dont il a besoin. Imaginez dans votre esprit cette personne utile, capable, profonde, que vous désirez être, et cette pensée que vous entretenez vous transformera d'heure en heure en cet être particulier.

La pensée est souveraine. Conservez une bonne disposition d'esprit – une attitude de courage, de sincérité et de bonne humeur. Penser correctement, c'est créer. Toute chose passe par le désir, et toute prière sincère est exaucée. Nous devenons semblables aux choses auxquelles nos cœurs s'attachent. Relevez le menton et gardez la tête haute. Toujours!

La vie idéale est dans notre sang et elle affluera toujours. Ce serait un jour triste pour chacun de nous si nous nous contentions de ce que nous pensons et des actions que nous accomplissons – s'il n'y avait plus aux portes de notre âme un grand désir continuel d'accomplir quelque chose de plus important, en sachant que nous avons été destinés et créés dans le but de le réaliser.

Si vous prenez la vie trop au sérieux, cela en vaut-il la peine? Si le matin ne nous apporte aucune joie nouvelle, si le soir ne nous donne pas l'espoir de nouveaux plaisirs, vaut-il la peine de s'habiller le matin et de se dévêtir le soir? Le soleil brille-t-il dans ma vie aujourd'hui, afin que je puisse réfléchir sur le passé ? Ou pour que je puisse essayer de prévoir et contrôler ce qui ne peut être prévu, ni contrôlé – la destinée future ?

L'enthousiasme est le meilleur atout au monde. Il devance l'argent, le pouvoir et l'influence. Sans aucune aide, l'enthousiaste convainc et domine là où la richesse accumulée par une petite armée de travailleurs soulèverait à peine un soupçon d'intérêt. L'être enthousiaste passe outre aux préjugés et aux oppositions, rejette l'inaction, donne l'assaut à la citadelle de ses objectifs et, telle une avalanche, engloutit et engouffre tous les obstacles. C'est la confiance en action, ni plus ni moins.

Mon fils et ma fille, souvenez-vous que vous devez travailler. Que vous maniiez la pioche, la brouette ou que vous manipuliez une collection de livres, que vous creusiez des fossés ou que vous publiiez un journal, que vous agitiez la clochette lors d'une vente aux enchères ou que vous écriviez des textes humoristiques, vous devez travailler. Si vous n'avez pas encore atteint la trentaine, n'ayez pas peur de vous faire mourir à travailler trop dur. Les gens meurent parfois mais c'est parce qu'ils quittent à 21 h et ne reviennent pas à la maison avant 2 h du matin. Ce sont ces intervalles de temps qui tuent, mon enfant. Le travail te donne davantage d'appétit ; il apporte plus de profondeur à ton sommeil ; il te fait apprécier les vacances à leur juste valeur.

Certains ne travaillent pas et la nation n'est pas fière d'eux. Elle ne connaît même pas leurs noms. Personne ne les aime et notre monde des plus affairés n'a pas conscience de leur présence. Par conséquent, découvrez ce que vous voulez être et agissez. Enlevez votre manteau et remuez ciel et terre dans ce monde. Plus vous serez occupé, moins vous aurez tendance à vous faire du tort à vous-même, plus vous dormirez paisiblement, plus vos vacances seront ensoleillées, et plus le monde sera satisfait de vous.

L'amour des livres, mon ami, est votre laissez-passer pour le plus grand, le plus pur, le plus parfait plaisir que Dieu a prévu pour vous. Il perdure alors que tous les autres plaisirs s'éteignent. Il vous soutiendra quand tous les autres loisirs ne seront plus là. Il vous accompagnera jusqu'à votre mort. Il rendra vos heures agréables tant et aussi longtemps que vous vivrez.

Bien des talents se perdent dans ce monde par manque d'un peu de courage. Chaque jour précipite dans la tombe des inconnus dont la timidité les empêche de faire un premier effort; lesquels, si on les avait amenés à entreprendre des choses, se seraient, selon toute vraisemblance, donnés beaucoup de mal dans la poursuite de la carrière, de la renommée. Le fait est que pour accomplir dans ce monde quelque chose qui en vaut la peine, nous ne devons pas nous tenir en arrière à trembler et à penser aux dangers et à la frousse que nous ressentons, mais sauter dans la mêlée et se battre du mieux que nous le pouvons. Cela ne réussira pas si vous soupesez continuellement les risques et si vous agissez toujours avec prudence; cela a très bien réussi avant le «grand déluge», quand un homme consultait ses amis sur une période de 150 ans sur son intention de publier, et qu'il vivait assez longtemps pour assister ensuite à son propre succès. Mais de nos jours, on attend, on doute, et on consulte nos amis jusqu'au jour où on découvre que l'on a 60 ans, et qu'on a perdu tellement de temps à consulter les cousins et les amis, qu'on n'a plus le temps de suivre leurs conseils.

Vous voulez une meilleure position que celle que vous détenez maintenant, une éminente et excellente place dans la vie? Très bien, pensez à cette place-là et imaginez-vous vous-même en train de l'occuper, comme si c'était un fait accompli. Formez-en l'image mentale. Ne cessez pas de penser à cette position élevée, conservez continuellement cette image devant vous et – non, vous ne serez pas soudainement propulsé à ce poste supérieur, mais vous découvrirez que vous vous préparerez vous-même à occuper une meilleure position dans la vie – votre corps, votre énergie, votre compréhension, votre cœur se développeront dans le sens du poste que vous convoitez – et quand vous serez prêt, après un dur labeur, après peut-être des années de préparation, vous obtiendrez le poste et une place privilégiée dans la vie.

Avec chaque année qui passe, je suis de plus en plus convaincu que le gaspillage de bien des vies découle de cet amour que nous n'avons pas donné, de ces pouvoirs que nous n'avons pas utilisés, de cette prudence intéressée qui ne veut courir aucun risque, et qui, en se défilant devant la souffrance, passe également à côté du bonheur. Personne jusqu'à ce jour ne fut à la longue appauvri pour s'être une fois dans sa vie complètement abandonné à sa tâche.

Le soleil se lève sur le matin d'un autre jour, la première journée d'une nouvelle année. Que puis-je souhaiter que ce jour, cette année, m'apportent? Rien qui pourrait rendre ce monde ou les autres plus pauvres; rien aux dépens de quiconque; mais seulement quelques-unes de ces choses qui, quand elles viennent ne s'arrêtent pas à ma seule personne, mais m'effleurent à la place, tandis qu'elles passent et rassemblent des forces:

Quelques amis qui me comprennent et restent encore mes amis.

Un travail à accomplir d'une grande valeur sans lequel le monde serait appauvri.

Une récompense pour ce travail suffisamment modeste qui ne taxe pas injustement celui qui paie.

Un être qui n'a pas peur de voyager même si le chemin n'est pas tracé.

Un cœur compréhensif.

Un regard sur les collines éternelles, sur la mer agitée, et sur un chef-d'œuvre créé par la main de l'être humain.

Le sens de l'humour et la capacité de rire.

Un peu de temps libre sans rien faire.

Quelques moments de méditation dans le calme et le silence. Le sentiment de la présence de Dieu.

... et la patience d'attendre l'avènement de ces choses, et la sagesse de les reconnaître quand elles se présenteront.

Vous réussirez le mieux quand vous chasserez de votre esprit le côté agité et anxieux des affaires et que vous permettrez à son côté reposant d'imprégner vos pensées.

De m'éveiller chaque matin avec un sourire illuminant mon visage, saluer le jour avec respect pour les occasions qu'il renferme; aborder mon travail avec l'esprit dégagé; garder toujours en tête, même dans l'accomplissement de petites choses, l'objectif ultime pour lequel je travaille; rencontrer des hommes et des femmes avec l'amour au cœur et le sourire aux lèvres; être gentil, doux, et courtois tout le temps; retrouver la nuit avec une fatigue qui génère le sommeil et cette joie qui découle du travail bien accompli – voilà comment je veux perdre sagement mes jours.

Il est bon d'avoir de l'argent et ces choses que l'argent peut acheter; mais il est bon également de s'assurer de temps à autre que nous n'avons pas perdu ces choses que l'argent ne peut pas acheter.

Laisse-moi accomplir mon travail de chaque jour; et si les heures sombres du désespoir viennent m'accabler, que je n'oublie pas cette force qui me réconforte au cours des autres périodes de chagrin. Que je me souvienne encore et toujours de ces heures lumineuses qui me virent arpenter les collines silencieuses de mon enfance, ou rêver sur la rive de la calme rivière, alors que la lumière rayonnait en moi et que je promis au Dieu de ma première jeunesse d'être courageux au milieu des tempêtes des années.

Faites-moi grâce de l'amertume et des passions soudaines provoquées par des moments d'irréflexion. Faites que je n'oublie pas que la pauvreté et la richesse procède d'un même esprit. Même si le monde ne me connaît pas, faites que mes pensées et mes actions soient telles que je conserverai l'amitié et le respect de moi-même. Ouvre mes yeux sur le ciel et ne me permets pas d'oublier l'utilité des étoiles.

Ne me permets pas de juger les autres de crainte que je ne me condamne moi-même. Ne me laisse pas suivre la clameur de ce monde mais laisse-moi marcher calmement sur mon propre sentier. Accorde-moi quelques amis qui m'aimeront pour ce que je suis, et garde la douce lumière de l'espoir toujours allumée devant mes pas. Et même si l'âge et les infirmités s'abattent sur moi, et que je n'entrevois pas le château de mes rêves, enseigne-moi quand même à être reconnaissant pour la vie et pour ces souvenirs du temps jadis qui embaument ma mémoire; et puisses-tu faire en sorte que le crépuscule de la vie me surprenne alors que je serai encore doux et tendre de cœur.

Je t'aime pour ce que tu es, mais je t'aime encore plus pour ce que tu vas devenir.

Je t'aime bien plus pour tes idéaux que pour ton réalisme. Je prie pour que tes désirs puissent être grands, plutôt que pour tes propres satisfactions qui pourraient s'avérer tellement mesquines.

Une fleur épanouie en est une dont les pétales sont à la veille de tomber. La plus belle des roses est à peine plus grande qu'un bouton dans lequel les soubresauts et les transports du désir concourent à augmenter et à améliorer la croissance de la rose.

Tu ne seras pas toujours ce que tu es actuellement.

(Vous avancez maintenant vers une vie meilleure. Je suis avec vous, tout le long de la route, car je vous aime. S.P.)

Chapitre XIV

Le dernier échelon de l'échelle de la vie

Le plus grand bonheur dans la vie ne vient pas du fait de posséder ou de prendre, mais de recevoir. Les véritables fruits de la réussite sont à notre disposition pour que chacun de nous en profite. Toutefois, cela n'arrivera que si nous partageons notre chance avec les autres. Le noble art de donner pareillement aux amis et aux étrangers, sans condition, est aussi indispensable à la réalisation et au maintien de votre fortune, de votre bonheur et de votre tranquillité d'esprit, que le sont les principaux commandements de la réussite, lesquels ont perduré depuis plusieurs siècles. Aucune œuvre littéraire dans l'histoire de l'humanité ne présente mieux le message d'un don désintéressé que le puissant et touchant classique d'Oscar Wilde, *Le Prince Heureux*, publié pour la première fois en 1888. Maintenant que vous vous tenez au sommet de votre échelle de la vie, jetez un coup d'œil en bas vers tous ceux-là qui ont besoin de votre sourire, votre amour, votre aide. Tandis que vous lirez lentement cette histoire bénie, laissez donc son puissant message vous aider à façonner votre avenir pour que vos jours, dorénavant, ne soient plus jamais pareils. S.P)

Surplombant la ville, sur une haute colonne, s'élevait la statue du Prince Heureux. Il était recouvert de minces feuilles d'or fin, ses yeux étaient faits de deux étincelants saphirs et un gros rubis flamboyait au pommeau de son épée.

Les gens qui passaient l'admiraient beaucoup. «Il est aussi beau qu'une girouette», remarquait l'un des conseillers municipaux qui désirait qu'on lui reconnût des goûts artistiques; «dommage qu'il ne soit pas utile!» ajoutait-il, de crainte qu'on ne lui trouvât l'esprit peu pratique, ce qui n'était point le cas.

«Pourquoi n'es-tu pas comme le Prince Heureux?» demanda avec bon sens une mère à son petit garçon qui réclamait la lune en pleurant. «Dans ses rêves, le Prince Heureux ne pleure jamais pour obtenir quoi que ce soit.

– Cela fait plaisir de penser qu'il y a au moins quelqu'un d'heureux sur cette planète!» marmonna un bonhomme déçu en contemplant la merveilleuse statue.

– Il ressemble à un ange», disait les enfants de l'orphelinat en sortant de la cathédrale dans leurs brillants manteaux rouges et leurs tabliers blancs bien propres.

– Comment le savez-vous?» demanda l'un de leurs professeurs, «vous n'en avez jamais vu.

– Ah! mais si, nous en avons vu!» répondirent les enfants. «Dans nos rêves!» et le professeur fronça les sourcils et prit un air très sévère, car il n'aimait pas que les enfants rêvent.

Une nuit, une petite hirondelle vola au-dessus de la ville. Il y avait six semaines que ses amies étaient parties pour l'Égypte pour éviter le dur hiver. Elle volait maintenant de longues heures pour tenter de les rattraper. Elle avait volé pendant toute la journée et elle avait finalement atteint la ville. «Où pourrais-je bien me poser?» se demanda-t-elle. Puis elle vit la statue sur la haute colonne.

«Voilà un bon endroit pour me loger!» s'écria-t-elle. «Ici au moins j'aurai de l'air.» Et elle atterrit juste entre les pieds du Prince Heureux.

«J'ai une chambre à coucher tout en or», murmura-t-elle comme pour elle-même en examinant les lieux, puis, elle se prépara pour la nuit. Mais juste comme elle se mettait la tête sous l'aile, une grosse goutte d'eau tomba sur elle. «Comme c'est curieux», s'écria-t-elle, «il n'y a pas un seul nuage dans le ciel, les étoiles n'ont jamais été aussi claires et brillantes, et pourtant, il pleut! Le climat du nord de l'Europe est vraiment terrible.»

Une autre goutte tomba.

«À quoi peut donc servir une statue si elle n'abrite pas de la pluie?» se dit-elle. «Cherchons un endroit plus confortable. Une bonne cheminée, par exemple!» Et elle décida de s'envoler.

Mais avant qu'elle ait seulement ouvert les ailes, une autre goutte tomba. Elle leva la tête, et elle vit... ah! que vit-elle?

Les yeux du Prince Heureux étaient remplis de larmes. Et des larmes coulaient le long de ses joues dorées. Son visage était si beau dans le clair de lune que la petite hirondelle fut émue de pitié.

– Qui es-tu?» demanda-t-elle.

– Je suis le Prince Heureux.

– Pourquoi pleures-tu, alors?» demanda l'hirondelle, «tu m'as complètement trempée!

– Quand j'étais vivant et que j'avais un cœur d'homme», répondit la statue, «je ne savais pas ce qu'étaient les larmes. Je vivais dans le Palais de Sans-Souci, où le chagrin n'avait pas le droit d'entrer. Le jour, je jouais avec mes compagnons dans le jardin, et le soir, je conduisais la danse dans la grande salle. Le jardin était entouré d'un mur très haut, mais jamais je n'ai pris la peine de demander ce qu'il y avait derrière le mur car autour de moi tout était si beau! Mes courtisans m'appelaient le Prince Heureux, et heureux je l'étais vraiment, si le plaisir peut s'appeler bonheur. C'est ainsi que j'ai vécu, et c'est ainsi que je suis mort. Et maintenant qu'ils m'ont mis ici, tout en haut de cette colonne de marbre, je vois la laideur et la misère de ma ville, et bien que mon cœur soit fait de plomb, je ne peux m'empêcher de pleurer.»

Quoi! il n'est donc pas tout en or? se dit la petite hirondelle. Mais elle était trop polie pour faire la moindre remarque personnelle à voix haute.

«Là-bas», continua la statue d'une voix basse et musicale, «là-bas, dans une petite rue, se trouve une pauvre maison. Par la fenêtre ouverte, je vois une femme assise à sa table. Son visage est maigre et usé, ses mains sont rouges et rugueuses, toutes piquées de coups d'aiguille, car c'est une couturière. Elle brode des fleurs de la Passion sur une robe de satin que portera au prochain bal de la Cour la plus charmante des demoiselles d'honneur de la reine.

«Dans un coin de la chambre, son petit garçon est étendu, malade, dans son lit. Il a de la fièvre et il réclame des oranges. Sa mère n'a rien d'autre à lui donner, sinon de l'eau de la rivière, et il pleure. Hirondelle, petite hirondelle, ne veux-tu pas lui porter le rubis du pommeau de mon épée? Mes pieds sont fixés à ce piédestal et je ne puis bouger.

«On m'attend en Égypte», dit l'hirondelle. «Mes amies volent au-dessus du Nil et elles conversent avec les grandes fleurs de lotus. Bientôt, elles s'endormiront dans le tombeau du grand roi. Le roi lui-même y repose dans un cercueil peint. Il est enveloppé de lin jaune et embaumé avec des aromates. Il porte autour du cou une chaîne de jade vert pâle, et ses mains ressemblent à des feuilles desséchées.

«Hirondelle, hirondelle, petite hirondelle», dit le Prince, «ne veux-tu pas rester avec moi une nuit, une seule nuit, pour être ma messagère? Le petit garçon a tellement soif et sa mère est si triste!

– Je crois que je n'aime pas les petits garçons», répondit l'hirondelle. J'ai passé l'été sur la rivière et il y avait deux garçons mal élevés, les fils du meunier, qui n'arrêtaient pas de me lancer des pierres. Ils ne m'ont jamais atteinte, bien sûr! Nous, les hirondelles, volons beaucoup trop bien pour ça, et de plus, je suis d'une famille réputée pour son agilité! Mais tout de même, c'était un manque de respect!»

Mais le Prince Heureux semblait si triste que la petite hirondelle se laissa toucher. «Il fait très froid ici», dit-elle, «mais je veux bien rester avec toi cette nuit, cette seule nuit, pour être ta messagère.

– Merci, petite hirondelle», dit le Prince.

Et l'hirondelle détacha donc le grand rubis du pommeau de l'épée du Prince et, le tenant dans son bec, elle s'envola au-dessus des toits de la ville.

Elle survola la tour de la cathédrale, où des anges blancs étaient sculptés dans le marbre. Elle passa au-dessus du Palais et entendit le bruit de la danse. Une belle jeune fille sortit sur le balcon avec son amoureux. «Comme les étoiles sont belles», lui dit-il, «et combien merveilleux est le pouvoir de l'amour!

«J'espère que ma robe sera prête à temps pour le bal de la Cour», répondit-elle. «J'ai demandé qu'on y brode des fleurs de la Passion, mais les couturières sont si paresseuses...»

L'hirondelle survola la rivière et vit les lanternes qui pendaient aux mâts des bateaux. Elle passa au-dessus du marché et vit des gens en train de marchander entre eux, et de peser de l'argent dans des balances de cuivre. Elle atteignit enfin la pauvre maison et regarda à l'intérieur. Le petit garçon s'agitait fiévreusement dans son lit et la mère s'était endormie tant sa fatigue était grande. L'hirondelle sautilla jusqu'à elle, et déposa le gros rubis sur la table à côté du dé à coudre. Puis elle vola doucement autour du lit, éventant de ses ailes le front du petit garçon. «Comme je me sens rafraîchi», dit l'enfant, «je dois sûrement aller mieux!» Et il s'abandonna à un merveilleux et paisible sommeil.

Alors l'hirondelle revint vers le Prince Heureux, et lui raconta ce qu'elle avait fait. «C'est curieux», remarqua-t-elle, «je me sens tout réchauffée, à présent, malgré le grand froid!

– C'est parce que tu as fait une bonne action», dit le Prince. La petite hirondelle se mit à réfléchir, et puis elle s'endormit. Réfléchir lui donnait toujours sommeil.

Au lever du jour, elle vola vers la rivière et se baigna. «Quel phénomène remarquable!», dit le professeur d'ornithologie qui passait sur le pont à ce moment-là. «Une hirondelle en hiver!» Et il écrivit un long article à ce sujet dans le journal local. Tout le monde en parla, c'était plein de mots que personne ne pouvait comprendre.

«Cette nuit, je m'en vais en Égypte», dit l'hirondelle. Et elle était toute joyeuse à cette perspective. Elle visita tous les monuments publics et passa un long moment sur la flèche du clocher de l'église. Partout où elle allait les moineaux pépiaient et ils se disaient l'un à l'autre: «Quelle étrangère distinguée!» Aussi, elle s'amusa beaucoup.

Lorsque la lune se leva, elle retourna vers le Prince Heureux. «Est-ce que tu as des commissions pour l'Égypte?» lui cria-t-elle. «Je m'en vais ce soir.

– Hirondelle, hirondelle, petite hirondelle», dit le Prince, «ne veux-tu pas rester avec moi une nuit de plus, une seule nuit?

– Toutes mes amies m'attendent en Égypte», répondit l'hirondelle, «je ne peux vraiment pas m'attarder ici plus longtemps.

– Hirondelle, hirondelle, petite hirondelle», dit le Prince, «loin d'ici, à l'autre bout de la ville, je vois un jeune homme dans une mansarde. Il est penché sur un bureau couvert de papiers. Dans un verre à côté de lui trempe un bouquet de violettes fanées. Il a les cheveux bruns et frisés, des lèvres aussi rouges que la grenade, et de grands yeux rêveurs. Il essaie de terminer une pièce pour le directeur du théâtre mais il a trop froid pour écrire davantage. Il n'y a pas de feu dans la cheminée et il a tellement faim qu'il est prêt de s'évanouir.

– Je veux bien rester avec toi une nuit de plus, une seule nuit», dit l'hirondelle, qui réellement avait bon cœur. Dois-je lui porter un autre rubis?

«Hélas! je n'ai plus de rubis maintenant», dit le Prince. «Mes yeux sont tout ce qui me reste. Ils sont faits de rares saphirs, rapportés de l'Inde il y a plus de mille ans. Arraches-en un et porte-le-lui. Il le vendra au bijoutier, achètera du bois à brûler et finira sa pièce.

– Cher Prince», dit l'hirondelle, «je ne peux pas faire cela.» Et elle se mit à pleurer.

– Hirondelle, hirondelle, petite hirondelle», dit le Prince, «fais comme je te le demande.»

Alors l'hirondelle arracha l'œil du Prince et s'envola vers la mansarde de l'étudiant. C'était assez facile d'y entrer car il y avait un trou dans le toit. Elle s'élança au travers et surgit dans la chambre. Il avait le visage enfoui dans ses mains, de sorte qu'il n'entendit pas le battement des ailes de l'oiseau, et quand il leva la tête, il trouva le magnifique saphir reposant parmi les violettes fanées.

«On commence à reconnaître mon talent», s'écria-t-il. «Cela vient sans doute de quelque grand admirateur. Maintenant je peux finir ma pièce.» Et il avait l'air tout heureux.

Le lendemain, l'hirondelle s'envola vers le port. Elle se percha sur le mât d'un grand vaisseau et observa les marins qui halaient de grosses caisses de la cale, à l'aide de fortes cordes. «Oh! Hisse!» criaient-ils en cadence à chaque caisse qu'ils remontaient. «Je m'en vais en Égypte!» cria l'hirondelle, mais personne n'y prit garde, et quand la lune se leva, elle retourna vers le Prince Heureux.

«Je suis venue te dire au revoir», annonça-t-elle.

– Hirondelle, hirondelle, petite hirondelle», dit le Prince, «ne resteras-tu pas une nuit de plus, une seule nuit?

– C'est l'hiver», répondit l'hirondelle, «et la neige glacée sera bientôt là. En Égypte, le soleil est chaud sur les verts palmiers, et les crocodiles allongés dans la vase regardent paresseusement autour d'eux. Mes compagnes sont en train de faire leurs nids dans le temple de Baalbec, et les colombes roses et blanches les regardent en roucoulant. Cher Prince, je dois te quitter, mais je ne t'oublierai jamais, et au printemps prochain, je te rapporterai deux beaux joyaux pour remplacer ceux que tu as donnés. Le rubis sera plus rouge que la plus rouge des roses, et le saphir sera aussi bleu que la vaste mer.

– En bas sur la place», dit le Prince Heureux, «se tient une petite marchande d'allumettes. Elle a fait tomber ses allumettes dans le caniveau et elles sont toutes abîmées. Son père la battra si elle ne rapporte pas d'argent à la maison, et elle pleure. Elle n'a pas de chaussures ni de bas, elle n'a rien pour protéger sa petite tête du froid. Arrache mon autre œil et donne-le-lui, et son père ne la battra pas.

– Je veux bien rester avec toi une nuit de plus», dit l'hirondelle, «mais je ne peux pas prendre ton œil car tu serais alors tout à fait aveugle.

– Hirondelle, hirondelle, petite hirondelle», dit le Prince, «fais comme je te le demande.»

Elle arracha alors l'autre œil du Prince, et d'un coup d'aile, elle atteignit la place. Elle tourna un instant autour de la marchande d'allumettes, et glissa le joyau dans la paume de sa main. «Quel joli morceau de verre!» s'écria la petite fille. Et elle courut vers sa maison en riant.

Puis l'hirondelle retourna vers le Prince. «Puisque tu es maintenant aveugle, je resterai toujours avec toi.

– Non, petite hirondelle», dit le Prince, «tu dois aller en Égypte.

– Je resterai toujours avec toi», répéta l'hirondelle, et elle s'endormit aux pieds du Prince.

Elle passa toute la journée du lendemain perchée sur l'épaule du Prince à lui raconter tout ce qu'elle avait vu dans des contrées lointaines. Elle lui parla des ibis rouges qui se tiennent en longue file sur les rives du Nil et attrapent des poissons d'or dans leurs becs; du Sphinx, aussi vieux que le monde, qui vit dans le désert et connaît toutes choses; des marchands qui marchent lentement à côté de leurs chameaux et égrènent des boules d'ambre dans leurs mains; du roi des montagnes de la lune, qui est aussi noir que l'ébène et voue un culte à un grand morceau de cristal; du serpent vert qui dort dans un palmier; et des pygmées qui voguent sur un grand lac, sur des feuilles larges et plates, et qui sont toujours en guerre avec les papillons.

«Chère petite hirondelle», dit le Prince, «tu me parles là de choses étonnantes, mais plus frappante encore est la souffrance des hommes et des femmes. Il n'y a pas de plus grand mystère que celui de savoir pourquoi tant de gens parmi nous souffrent inutilement, quand on peut trouver partout autour de nous des règles de conduite pour mener une vie meilleure. Vole au-dessus de ma ville, petite hirondelle, et dis-moi ce que tu y vois.»

Et l'hirondelle survola la grande ville et vit les riches qui se divertissaient dans leurs belles maisons, tandis que les mendiants étaient assis aux portes. Elle vola dans les sombres ruelles où des enfants pâles et affamés regardaient les rues sinistres d'un air amorphe. Sous l'arche d'un pont, deux petits garçons se serraient l'un contre l'autre, essayant de se protéger du froid. «Nous avons tellement faim!» disaient-ils. «Il est interdit de coucher ici!» cria le veilleur, et d'un pas traînant ils s'éloignèrent sous la pluie.

L'hirondelle retourna alors vers le Prince et lui raconta tout ce qu'elle avait vu.

«Comme tu peux le voir, je suis recouvert d'or fin», dit le Prince. «Je veux que tu l'enlèves, feuille par feuille, et que tu le donnes à mes pauvres. Les êtres humains croient toujours que l'or peut les rendre heureux.»

Feuille après feuille, l'hirondelle enleva l'or fin, jusqu'à ce que le Prince Heureux soit complètement terne et gris. Feuille à feuille, elle apporta l'or fin aux pauvres, et les couleurs vinrent aux joues des enfants, et on les vit rire et jouer dans les rues. «Nous avons du pain maintenant!» criaient-ils.

Puis vint la neige, et après la neige, le gel. Les rues semblaient d'argent, toutes brillantes et luisantes. De longs glaçons, semblables à des poignards de cristal, pendaient des toits. Tout le monde circulait enveloppé de fourrures, et les petits garçons portaient des bonnets rouges et patinaient sur la glace.

La pauvre petite hirondelle avait de plus en plus froid, mais elle refusait de quitter le Prince, car elle l'aimait bien trop pour cela. Elle ramassait des miettes à la porte de la boulangerie quand le boulanger ne regardait pas, et elle essayait de se réchauffer en battant des ailes.

Enfin elle comprit qu'elle allait mourir. Il lui restait juste assez de force pour se percher encore une fois sur l'épaule du Prince. «Au revoir, cher Prince», murmura-t-elle, «me permets-tu d'embrasser ta main?

– Je suis content que tu partes enfin en Égypte, petite hirondelle», dit le Prince. «Tu es restée trop longtemps ici. Mais il faut que tu m'embrasses sur les lèvres, car je t'aime.

– Ce n'est pas en Égypte que je m'en vais», dit l'hirondelle. «Je vais à la maison de la Mort. La Mort est la sœur du sommeil, n'est-ce pas?»

Elle embrassa le Prince Heureux sur les lèvres et tomba morte à ses pieds.

À ce moment, un curieux craquement se fit entendre à l'intérieur de la statue, comme si quelque chose se cassait. Le cœur de plomb s'était brisé net en deux morceaux. Il gelait assurément à pierre fendre ce jour-là.

Le lendemain matin, le maire se promenait sur la place en compagnie des conseillers municipaux. Comme ils passaient devant la colonne, le maire leva les yeux vers la statue: «Mon Dieu!» s'écria-t-il, «comme le Prince Heureux a triste mine!

– Il a vraiment triste mine!» s'écrièrent les conseillers municipaux, qui acquiesçaient toujours aux paroles du maire. Et ils s'avancèrent pour regarder de plus près.

– Le rubis est tombé de son épée», dit le maire. «Ses yeux ont disparu et il n'est plus du tout doré. En fait, il est à peine mieux qu'un mendiant!

– À peine mieux qu'un mendiant!» reprirent en chœur les conseillers municipaux.

– Et en plus, il y a un oiseau mort à ses pieds!» continua le maire. «Il nous faut publier une proclamation interdisant aux oiseaux de mourir ici.» Et le secrétaire municipal prit en note la suggestion.

On abattit donc la statue du Prince Heureux. «Puisqu'il n'est plus beau, il n'est plus utile», dit un professeur d'art de l'université.

Puis on fit fondre la statue dans une fournaise, et le maire réunit le conseil pour décider ce qu'on ferait du métal. «Il faut que nous ayons une autre statue, bien sûr!» dit-il. «Ce sera une statue de moi-même.

– Comme c'est étrange!» dit le contremaître des ouvriers à la fonderie. «Ce cœur de plomb cassé ne veut pas fondre dans la fournaise. Il faut le jeter.» Et on le jeta sur un monceau d'ordures où déjà reposait l'hirondelle morte.

Un jour, Dieu jeta un coup d'œil vers la grande cité et rassembla plusieurs de Ses anges à Ses côtés, et leur dit: «Allez dans cette ville et rapportez-moi les deux choses les plus précieuses que vous y trouverez». Les anges lui apportèrent le cœur de plomb brisé du Prince et la dépouille de la petite hirondelle.

Chapitre XV

Après avoir lu le vieux cahier de Simon d'un bout à l'autre, je le déposai sur ma pile de courrier «arrivé», que je place sur le coin de mon bureau, dans mon atelier, et je n'y prêtai plus attention pendant environ une semaine. Puis un matin, alors que j'étais assis à mon bureau en train de réfléchir, essayant de rassembler suffisamment de courage pour répondre à une énorme pile de courrier, je tendis le bras vers le cahier usé et l'ouvris. Sans même penser à ce que j'étais en train de faire, je lus lentement les mots contenus dans «Le premier échelon de l'échelle de la vie». Quand j'eus terminé, je sortis mon agenda du tiroir et j'encerclai la date du jour, conformément aux instructions de la lettre de Simon que j'avais trouvée à l'intérieur du cahier.

Une semaine plus tard, le même jour, je lus à la fois «Le premier échelon» et «Le second échelon de l'échelle de la vie» selon les instructions de Simon. Une semaine plus tard, le même jour de la semaine, je lus lentement à la fois «Le second» et «Le troisième échelon». Au cours de ces périodes de quiétude, je ne m'arrêtai pas une seule fois pour m'interroger sur ce que j'étais en train de faire, ou pourquoi un homme – qui avait écrit 18 livres contenant des centaines de lois et de principes sur la réussite et l'épanouissement personnel – lisait maintenant des textes sur la motivation dans leur ancien style original datant du siècle dernier, alors qu'il était familier depuis presque quatre décennies avec ce genre de littérature?

Quelque temps après le jour où j'ai lu «Le troisième» et «Le quatrième échelon de l'échelle de la vie», je découvris la réponse à ma question. Un matin, je pris soudainement conscience que j'abordais maintenant ma conception de la vie et chaque tâche que j'entreprenais avec un optimisme et une confiance que même moi, l'homme qui disait constamment aux gens comment prendre sa vie en main et réussir, je n'en avais jamais personnellement fait l'expérience auparavant!

Mes activités et mes journées devinrent plus riches, plus pleines et plus lumineuses, en même temps qu'il me devint plus facile de venir à bout de chaque défi et de chaque problème, même ceux-là relatifs au fait de vieillir. J'eus beaucoup de mal à croire à ce qui m'arrivait mais il me fallut admettre que le fait de lire et relire les mots contenus sur les échelons de l'échelle de la vie, dans ce que Simon appelait les *Conseils inspirés du Ciel*, avait sur moi un effet profond, et je compris que ces mots-là devaient être partagés avec d'autres personnes dans un livre.

Je téléphonai finalement à mon éditrice, Susan Randol, chez Fawcett Books et elle me demanda de lui faire parvenir une proposition de projet, comme je le faisais toujours, et dont elle pourrait discuter avec le comité éditorial. Ce que je fis, puis, je retournai vaquer à mes occupations habituelles.

Environ une semaine plus tard, je m'envolai vers Houston pour faire une conférence devant l'assemblée des fidèles de la Unity Church Howard Caesar. Ma présentation se déroula sans anicroche, et quand je revins à ma chambre d'hôtel, après avoir autographié mes livres pendant plus de deux heures, je téléphonai à la maison, comme je le fais toujours, pour rendre compte à Bette du déroulement de ma journée. Nous étions au téléphone depuis seulement quelques minutes quand je lui demandai soudain ce qui n'allait pas. Quand des gens ont été mariés depuis aussi longtemps que nous, ça ne prend pas beaucoup de temps à l'un ou l'autre conjoint pour s'apercevoir que quelque chose ne va pas. Elle hésita pendant peut-être 30 secondes, puis, je l'entendis inspirer profondément.

«Il y a eu un feu ici, chéri.

– Où... Quoi...Ne t'inquiète pas, ce n'est pas notre maison. Crois-moi.

– Mais alors qu'est-ce qui ne va pas... qu'est-il arrivé...?

– Eh bien, comme tu le sais, nous n'avons pas eu de pluie depuis environ un mois. Le feu a pris naissance au bout du chemin Old Pound Road. Cinq ou six acres de boisé ont brûlé, incluant le vieux chalet où Simon habitait. Tout fut rasé, il ne reste plus rien.»

Même après que Bette eut raccroché, je pouvais encore entendre les mots: «Il ne reste plus rien... plus rien...»

J'étais déjà de retour à la maison depuis trois jours quand je rassemblai finalement suffisamment de courage pour aller visiter les lieux du sinistre. Bette avait raison. Il ne restait pas grand-chose à part l'odeur de pin brûlé. Comme il n'y avait pas de fondations de pierre sous le vieux chalet où Simon avait vécu, seul un gros tas de cendres grises balayées par le vent indiquait l'ancien emplacement du chalet.

Je m'approchai de ces cendres, m'agenouillai, et j'enfouis ma main droite dans le tas. Je ne sais pas combien de temps je demeurai dans cette position, à revivre tant de souvenirs à propos de Simon et tellement de journées partagées ensemble. Finalement, je me levai, je soufflai dans ma main pour en enlever la cendre et je me préparai à m'en aller. Au moment de me retourner, mon pied gauche heurta une boîte de conserve rouillée et elle roula sur une distance d'environ deux mètres. Quand je passai près d'elle, au moment de retourner vers Old Pound Road, je me penchai et je la ramassai. Il n'y avait pas de couvercle mais, à l'intérieur de la boîte, se trouvait un morceau de carton plié. Je le retirai de la boîte de conserve et je le dépliai lentement. Mes vieilles mains se mirent à trembler car on pouvait lire les mots suivants dans le coin supérieur droit du carton: «Pour monsieur Og».

Tous les mots qui se trouvaient sur ce morceau de carton humide avaient été écrits à la main:

HIER
par le docteur Frank Crane

Je suis hier. Je t'ai déserté pour toujours.

Je suis le dernier d'une longue procession de jours, coulant derrière toi, loin de toi, se déversant dans la brume et l'obscurité et, en dernier lieu, dans l'océan de l'oubli.

Chacun de nous a sa charge de triomphes, de défaites, de rires, d'amertume; nous portons notre fardeau qui nous vient de toi et de ton manque habituel de mémoire; cependant, quand nous nous écoulons, chacun de nous laisse quelque chose dans ton subconscient.

Nous remplissons le grenier de ton âme.

Je te quitte et pourtant je suis toujours avec toi.

Dans le temps, on m'a appelé Demain et j'étais virginal; puis, je devins ta conjointe et on m'a donné comme nom Aujourd'hui; à présent, je suis Hier et je porte en moi la tache éternelle de ton enlacement.

Je suis une des pages d'un livre de croissance. Il y a plusieurs pages avant moi. Un jour, tu tourneras toutes les pages de ce livre, tu nous liras, et tu sauras qui tu es.

Je suis blême car je n'ai pas d'espoir. Seulement des souvenirs.

Je suis riche car j'ai la sagesse.

Je t'ai donné un enfant et je l'ai laissé avec toi. Son nom c'est l'Expérience.

Tu n'aimes pas me regarder. Je ne suis pas beau. Je suis majestueux, décisif, sérieux.

Tu n'aimes pas ma voix. Elle ne s'adresse pas à tes désirs; elle est froide, régulière et remplie de prudence.

Je suis Hier; pourtant je suis le même qu'Aujourd'hui et Toujours car JE SUIS TOI; et tu ne peux pas échapper à toi-même.

Parfois je parle de toi à mes compagnons. Certains parmi nous portent les cicatrices de ta cruauté. D'autres le caractère pitoyable de ton crime. Certains autres la beauté de ta bonté. Nous ne t'aimons pas. Nous ne te haïssons pas. Nous te jugeons.

Nous n'éprouvons pas de compassion; seul Aujourd'hui le peut. Nous n'avons pas d'encouragement à te prodiguer; seul Demain peut le faire.

Nous nous tenons à la porte d'entrée du passé, accueillant l'unique file des jours qui passent, surveillant les Demains devenir des Aujourd'huis, puis venir nous rejoindre dans l'Hier.

Petit à petit nous buvons ta vie tels des vampires. À mesure que tu vieillis, nous absorbons ta pensée. Tu te tournes vers nous de plus en plus souvent, et de moins en moins vers Demain.

Nos neiges courbent ton dos et blanchissent ta tête. Nos eaux glaciales refroidissent tes passions.

Nos exhalaisons atténuent tes espoirs. Nos nombreuses pierres tombales envahissent ton paysage. Nos amours mortes, nos enthousiasmes éteints, nos maisons de rêves fracassés, nos illusions dissipés, s'avancent vers toi, te cernent.

Les Demains arrivent et passent inaperçus. Les Aujourd'huis filent sans que tu y prêtes attention. Tu deviens de plus en plus une créature des Hiers.

Nos salles de banquets sont pleines de nappes tachées de vin, de vases brisés, de roses flétries.

Nos églises, où se trouvaient nos aspirations, sont vides; on n'y retrouve maintenant que des fantômes.

Les rues ensevelies de Pompéi sont les nôtres, de même que les riches galions échoués dans l'océan à cent brasses de profondeur, les listes généalogiques de noms sonores, les momies dans les musées, les débris fragmentaires des colonnes de temples en ruine, les inscriptions sur les murs de briques de Ninive, les énormes portes en pierre qui se dressent au beau milieu du paysage tropical du Yucatan, les vases étrusques pour le vin, à présent asséchés et vides pour toujours.

De nous proviennent les miasmes de paresse qui maintiennent l'humanité en esclavage; de nous émane la force des chefs de guerre, des monarques et de tous les privilégiés.

Nous levons les longs bras musclés et gris de l'usage et de la tradition pour étouffer Aujourd'hui et entraver Demain.

Nous sommes les Hiers de ce monde. Si tu en savais suffisamment pour nous écraser du pied, tu pourrais t'élever rapidement. Mais quand tu nous laisses chevaucher sur ton dos, nous t'étranglons et t'empêchons de respirer.

Je suis Hier. Apprends à me regarder en pleine face, à te servir de moi, et à ne pas me craindre.

Je ne suis pas ton ami. Je suis ton juge – et ta peur.

Demain est ton ami.

OG MANDINO

Auteur de
LA TRILOGIE :

Le plus grand miracle du monde,
Le Retour du chiffonnier
et
Le plus grand mystère du monde

Au cours de sa phénoménale carrière d'auteur à grand succès et de conférencier dans le domaine de la motivation, Og Mandino s'est fait plusieurs amis formidables partout à travers le monde. L'un parmi les plus chers a toujours conservé une place toute spéciale dans le cœur de Og, il se nomme Simon Potter, «chiffonnier et sauveur» de vies humaines – que les lecteurs ont d'abord appris à aimer dans *Le plus grand miracle du monde* et, par la suite, dans *Le Retour du chiffonnier.*

Dans *Le plus grand mystère du monde,* nous rencontrons de nouveau cet homme sage et humble, dont la dernière résidence fut un chalet en Nouvelle-Angleterre, et nous devenons les héritiers de son trésor secret. Car Simon, en quittant cette vie, laisse un précieux héritage à Og: la sagesse raffinée de sa collection unique des plus grands livres traitant de la motivation personnelle et de la réussite – ces livres que lui-même appelle les livres de la «main de Dieu», car on a l'impression qu'ils ont été écrits avec la main de Dieu guidant l'auteur.

Dans ce nouveau livre des plus inspirants et d'une grande tendresse, Og partage avec ses millions de lecteurs le legs de son vieil ami, Simon Potter. Ce n'est rien de moins qu'un plan détaillé pour réussir, nous expliquant en langage clair ce que nous devons faire pour gravir les 7 échelons de l'échelle de la vie – de la réussite matérielle jusqu'à l'accomplissement de sa propre spiritualité. Quel que soit votre rêve le plus cher, Og et son bon ange, Simon, avec l'aide d'un grand héron bleu du nom de Franklin, vous indiqueront la façon d'atteindre votre rêve.

Comme tous les autres livres d'Og Mandino, *Le plus grand mystère du monde* déborde d'amour, de sentiments profonds et de joie de vivre. L'auteur ne se contente pas de nous montrer le chemin de la réussite, il nous inspire à croire en nous-mêmes et à être d'attaque afin que nous commencions dès aujourd'hui, à cette minute même, à transformer nos rêves en une merveilleuse réalité.

OG MANDINO était un homme qui a non seulement mis en pratique ce qu'il prêchait, mais qui a également inspiré des millions de personnes à suivre son exemple d'un style de vie fructueux et couronné de succès. Considéré aujourd'hui comme étant l'auteur le plus lu dans le monde, dans le domaine de la motivation et du développement personnel, ses 19 livres précédents – incluant plus récemment *Le Maître, L'Ange de l'espoir,* et *Secrets for Success and Happiness* – ont été vendus à plus de 36 millions d'exemplaires, en 20 langues. *Le plus grand mystère du monde* est le dernier livre de monsieur Mandino, décédé le 3 septembre 1996.

Cher lecteur... vous tenez actuellement entre les mains ce qui pourrait constituer votre guide pour une vie meilleure. Servez-vous de votre imagination et considérez ce livre et son message comme étant une échelle unique forgée au ciel. Cette échelle vous emportera bien au-delà des futilités et des échecs que vous avez subis dans le passé jusqu'à ce que vous atteigniez un jour un nouveau palier où abonderont la joie, la fierté et le succès.

Soyez assuré que les conseils et les directives proposés à chaque échelon de cette singulière échelle céleste vous guideront et vous aideront à gravir chaque échelon, l'un après l'autre, jusqu'à ce que finalement vous acquériez le savoir-faire et la motivation nécessaires pour que votre vie devienne tout ce que vous avez rêvé qu'elle soit.

Finalement... en dernière analyse... votre vie et votre avenir sont entre vos seules mains. Vous possédez maintenant le pouvoir, les connaissances et les moyens pour faire en sorte que tous vos lendemains se transforment en un ciel unique et exceptionnel, ici même sur terre.

Vous méritez une meilleure façon de vivre. Votre avenir est enfin entre vos mains. Vivez-le pleinement!

CHEZ LE MÊME ÉDITEUR

Dans la même collection:

Le plus grand miracle du monde, Og Mandino
Le retour du chiffonnier, Og Mandino
L'ange de l'espoir, Og Mandino
Le Maître, Celui qui avait la puissance de la parole, Og Mandino
Le cadeau le plus merveilleux au monde, Og Mandino
Le plus grand vendeur du monde, Og Mandino
Le fonceur, Peter B. Kyne
L'homme le plus riche de Babylone, George S. Clason
Des hectares de diamants, Russel H. Conwell
Objectif: Réussir sa vie et dans la vie!, Richard Durand
La Légende des manuscrits en or, Glenn Bland
Le plus grand mystère du monde, Og Mandino

CHEZ LE MÊME ÉDITEUR

Dans la même collection:

1001 maximes de motivation, Sang H. Kim
Accomplissez des miracles, Napoleon Hill
Attitude d'un gagnant, Denis Waitley
Attitude fait toute la différence (L'), Dutch Boling
Comment se faire des amis facilement, C.H. Teear
Comment se fixer des buts et les atteindre, Jack E. Addington
De la part d'un ami, Anthony Robbins
Développez habilement vos relations humaines, Leslie T. Giblin
Développez votre confiance et votre puissance avec les gens, Leslie T. Giblin
Développez votre leadership, John C. Maxwell
Devenez la personne que vous rêvez d'être, Robert H. Schuller
Dites oui à votre potentiel, Skip Ross
En route vers le succès, Rosaire Desrosby
Enthousiasme fait la différence (L'), Norman V. Peale
Fonceur, (Le), Peter B. Kyne
Fortune en dormant (La), Ben Sweetland
Homme est le reflet de ses pensées (L'), James Allen
Homme le plus riche de Babylone (L'), George S. Clason
Magie de croire (La), Claude M. Bristol
Magie de penser succès (La), David J. Schwartz
Magie de s'autodiriger (La), David J. Schwartz
Magie de voir grand (La), David J. Schwartz
Mémorandum de Dieu (Le), Og Mandino
Osez Gagner, Jack Canfield et Mark Victor Hansen

Pensée positive (La), Norman V. Peale
Pensez en gagnant! Walter Doyle Staples
Pensez possibilités! Robert H. Schuller
Performance maximum, Zig Ziglar
Personnalité plus, Florence Littauer
Plus grand miracle du monde (Le), Og Mandino
Plus grand secret du monde (Le), Og Mandino
Plus grand succès du monde (Le), Og Mandino
Plus grand vendeur du monde (Le) partie 2, suite et fin, Og Mandino
Pouvoir de la pensée positive, Eric Fellman
Puissance d'une vision (La), Kevin W. McCarthy
Progresser à pas de géant, Anthony Robbins
Provoquez le leadership, John C. Maxwell
Quant on veut, on peut! Norman V. Peale
Relations humaines, secret de la réussite (Les), Elmer Wheeler
Rendez-vous au sommet, Zig Ziglar
Retour du chiffonnier (Le), Og Mandino
S'aimer soi-même, Robert H. Schuller
Secrets de la confiance en soi (Les), Robert Anthony
Secrets d'une vie magique, Pat Williams
Sports versus Affaires, Don Shula et Ken Blanchard
Succès d'après la méthode de Glenn Bland (Le), Glenn Bland
Tout est possible, Robert H. Schuller
Université du succès (L'), tomes I, II, III, Og Mandino
Vie est magnifique (La), Charlie T. Jones
Votre droit absolu à la richesse, Joseph Murphy
Votre force intérieure T.N.T., Claude M. Bristol et Harold Sherman
Vous êtes unique, ne devenez pas une copie! John L. Mason

CHEZ LE MÊME ÉDITEUR

Dans la même collection:

La Télépsychique, Joseph Murphy
Le Mémorandum de Dieu, Og Mandino
Les Lois dynamiques de la prospérité, Catherine Ponder
Le Pouvoir triomphant de l'amour, Catherine Ponder
Eurêka!, Colin Turner
La Roue de la sagesse, Angelika Clubb
Le Secret d'une prospérité illimitée, Catherine Ponder
Ouvrez votre esprit pour recevoir, Catherine Ponder

CHEZ LE MÊME ÉDITEUR

Dans la même collection:

Aidez les gens à devenir meilleurs, Alan Loy McGinnis
À la conquête du succès, Samuel A. Cypert
L'attitude fait tout la différence, Dutch Boling
Le capitalisme avec compassion, Rich DeVos
Les échelons de la réussite, Ralph Ransom
Lettres d'un homme d'affaires à son fils, G. Kingsley Ward
Lettres d'un homme d'affaires à sa fille, G. Kingsley Ward
Maîtrisez vos comportements sans les faire subir aux autres, Robert A. Schuller
Osez rêver!, Florence Littauer
Personnalité Plus, Florence Littauer
Plan d'action pour votre vie, Mamie McCullough
S.O.S. à l'amour, Willard F. Harley, Jr.
Elle et Lui, Willard F. Harley, Jr.
Le succès de A à Z (tomes A-H et I-Z), André Bienvenue
Une attitude gagnante, John C. Maxwell
Vaincre les obstacles de la vie, Gerry Robert

CHEZ LE MÊME ÉDITEUR

Dans la même collection:

Les paradigmes, Joel Arthur Barker
Communiquer: Un art qui s'apprend, Lise Langevin Hogue
Le pouvoir de vendre, José Silva et Ed Bernd Jr.
La vente: Une excellente façon de s'enrichir, Joe Gandolfo
La vente: Étape par étape, Frank Bettger
Performance maximum, Zig Ziglar
Mes valeurs, mon temps, ma vie!, Hyrum W. Smith
Vivre au cœur de la tornade, Diane Desaulniers et Esther Matte
Secrets de la vente professionnelle, Jean-Guy Leboeuf

CHEZ LE MÊME ÉDITEUR

Dans la même collection:

52 façons de développer son estime personnelle et sa confiance en soi, Catherine E. Rollins

52 façons de faire des économies, Kenny Luck

52 façons simples d'encourager les autres, Catherine E. Rollins

52 façons de dire «Je t'aime» à votre enfant, Jan Lynette Dargatz

52 façons simples de s'amuser avec votre enfant, Carl Dreizler

52 façons simples d'aider votre enfant à s'aimer et à avoir confiance en lui, Jan Lynette Dargatz

52 façons d'organiser votre vie personnelle et familiale, Kate Redd

52 rendez-vous amoureux, Dave et Claudia Arp

52 activités pour occuper vos enfants sans la télévision, Phil Phillips

52 étapes pour atteindre le succès, Napoleon Hill

52 façons de perdre du poids, Carl Dreizler et Mary E. Ehemann

52 façons d'améliorer votre vie, Todd Temple

52 façons de réduire le stress dans votre vie, Connie Neal

52 façons de rendre vos vacances en famille encore plus agréables, Kate Redd

52 façons d'aider votre enfant à mieux réussir à l'école, Jan Lynette Dargatz

52 façons d'élever des enfants sans se surmener, Mary Manz Simon

Les éditions Un monde différent ltée
3925, Grande-Allée
Saint-Hubert (Québec), Canada
J4T 2V8